WILLIAM SANCHES

CONSELHOS PARA
Dormir bem

Conselhos para dormir bem

Copyright © 2022 by William Sanches

1ª edição: Junho 2022

Direitos reservados desta edição: CDG Edições e Publicações

O conteúdo desta obra é de total responsabilidade do autor e não reflete necessariamente a opinião da editora.

Autor:
William Sanches

Preparação de texto:
3GB Consulting

Revisão:
Debora Capella

Projeto gráfico e capa:
Claudio Szeibel

DADOS INTERNACIONAIS DE CATALOGAÇÃO NA PUBLICAÇÃO (CIP)

Sanches, William
    Conselhos para dormir bem : reprograme sua mente de forma próspera com as afirmações positivas e viva com mais abundância / William Sanches. — Porto Alegre : Citadel, 2022.
    256 p. : il., color.

    ISBN 978-65-5047-120-0

    1. Desenvolvimento pessoal 2. Mensagens – Relaxamento 3. Sono 4. Meditação

22-2821   CDD 158.1

Angélica Ilacqua - Bibliotecária - CRB-8/7057

Produção editorial e distribuição:

contato@citadel.com.br
www.citadel.com.br

WILLIAM SANCHES

CONSELHOS PARA
Dormir bem

REPROGRAME SUA MENTE DE FORMA PRÓSPERA
COM AS AFIRMAÇÕES POSITIVAS E VIVA COM
MAIS ABUNDÂNCIA

2022

INTRODUÇÃO

Antes de começar a tirada de cartas e a leitura das reflexões no livro, entenda que não mudo a vida de ninguém.

Só a própria pessoa pode mudar a própria vida.

O que faço é mostrar como a mente funciona e como nossos hábitos e nossas crenças podem ser reprogramados.

Nossa mente é como se fosse um jardim. No começo, um jardim é só um terreno com terra suja e malcuidada, às vezes cheio de mato jogado do desprezo.

Quando removemos todo o lixo, a terra está pronta para receber sementes.

Se plantamos mudas e sementes, a terra recebe com amor.

No início, até parece que nada vai para a frente, mas depois de um tempo começamos a ver o resultado.

Nossa mente é igual.

No começo parece que nada flui, mas, se insistir nos pensamentos positivos, que são sementes lançadas diariamente na nossa mente, você começará a ver os resultados.

Somos merecedores de amor e prosperidade!

Confie nisso e ouça o recado que cada carta traz.

A vida tem uma quantidade infinita de possibilidades.

Escolha as melhores e seja feliz!

O sucesso está mais perto do que você imagina; na verdade, ele é aquilo que você imagina.

Tudo está na mente!

Durma e acorde cada dia mais abundante com as Cartas para dormir bem.

William Sanches

Meditação guiada

Aponte a câmera do seu celular para o **QR Code** e ouça uma meditação guiada para dormir bem, na voz de **William Sanches.**

SUMÁRIO

12
CARTA 1
Sei que hoje foi um bom dia! Tudo que me aconteceu foi mais um degrau evolutivo e me fez bem. Sou aluno e não vítima. A força e a confiança estão comigo nesta noite boa de sono.

16
CARTA 2
Agradeço ao meu corpo por cada passo, por cada respiração. Tudo fluiu bem e assim será minha noite de descanso!

20
CARTA 3
Cada desafio hoje foi um degrau a mais para meu sucesso. Escolho bons pensamentos para ter uma noite em paz e com bom sono.

24
CARTA 4
Amanhã farei mais escolhas saudáveis. Peço perdão ao meu corpo se hoje não me cuidei. Amanhã, meu autocuidado será ainda melhor porque eu me amo e está tudo bem.

28
CARTA 5
Escolho pensamentos de gratidão e abundância. Só eles têm espaço na minha cama. Acredito no bem e no melhor.

32
CARTA 6
Eu me sinto saudável e me preparo para uma noite boa de sono. Nada vai me atrapalhar neste momento. Escolho um sono reparador.

36
CARTA 7
Amanhã será um dia de boas decisões. Escolho ser feliz e estarei ao meu lado. Durmo em paz e sem ansiedade, a tranquilidade está na minha cama.

40
CARTA 8
A abundância é minha natureza. É fácil e bom ser abundante. Sou persistente e vivo no melhor.

48
CARTA 9
Durmo em paz e amanhã acordarei com vitalidade e disposição. Será um dia de grandes vitórias.

56
CARTA 10
Venço meus medos com facilidade e tenho gratidão por isso. Durmo em paz e me recupero a cada minuto dormido. Acordo bem e mais jovem.

64
CARTA 11
Velhas crenças limitantes não possuem mais espaço na minha mente. Ao dormir restauro minha mente próspera.

70
CARTA 12
Estou em paz! Eu sou a minha paz! Durmo a minha paz!

76
CARTA 13
Eu me amo e está tudo bem! Nada me atrapalha e tudo está bem na minha vida! Durmo em paz e em segurança.

84
CARTA 14
A riqueza é uma realidade para mim. Minhas células são ímãs de coisas boas. O melhor chega até mim com facilidade. Nada me atrapalha e tudo está bem na minha vida.

88
CARTA 15
Estou em segurança e posso descansar tranquilamente. O meu quarto é abençoado e na minha casa habita a harmonia.

92
CARTA 16
Tudo vem a mim com facilidade, alegria e glória. Nada me atrapalha e por isso durmo em paz!

96
CARTA 17
Eu sei que posso ir mais longe, porém este é meu momento de descanso. Sou mais paciente e acredito em mim!

100
CARTA 18
Aquilo que não deu certo hoje pode ser melhor amanhã. Tenho calma e sou fonte de criatividade.

106
CARTA 19
Acredito no melhor e o melhor flui em mim! Nasci para abundância! Enquanto durmo, reprogramo minha mente para a riqueza.

110
CARTA 20
Eu me amo e me respeito. Eu me sinto muito bem comigo mesmo. Eu me amo tão profundamente que agora durmo em paz e confiante.

114
CARTA 21
Sou amado e respeitado por mim! Meu sono é precioso e me entrego ao descanso.

118
CARTA 22
Durmo em paz e, ao acordar, faço deste mundo um lugar melhor! Eu posso, pois reconheço em mim um poder divino.

122
CARTA 23
Tenho calma e vibro no amor. Minha vibração é de paz e serenidade. Durmo bem e acordo na minha melhor versão.

126
CARTA 24
Sei que a vida é um eco, por isso envio amor, luz e tranquilidade. Durmo envolvido em uma energia boa de prosperidade.

130
CARTA 25
Sou saudável e minhas células se renovam durante o sono. Sou confiante e estou em paz comigo.

140
CARTA 27
Agradeço! Agradeço! Agradeço! Sou melhor hoje e sempre!

152
CARTA 29
Estou relaxando meu corpo e me sentindo mais seguro! Mantenho na minha mente somente bons pensamentos.

164
CARTA 31
Meu tempo de sono é precioso, pensamento negativo não tem espaço dentro de mim. Vibro e me envolvo no amor e na positividade.

176
CARTA 33
Minha saúde mental atrai só coisas boas para mim e eu amo cada cantinho do meu corpo.

186
CARTA 35
A abundância entra na minha vida de maneiras surpreendentes e milagrosas! Há infinitas possibilidades de felicidade me esperando. Sou cura e renovação!

134
CARTA 26
Termino tudo aquilo que começo! Vou até o fim porque cuido dos meus objetivos. Sou grato pela oportunidade de abrir os olhos em cada manhã.

146
CARTA 28
Estou em paz! E quando durmo, permito que toda a minha energia se renove!

160
CARTA 30
Vivo plenamente o presente! Agora é meu momento de dormir e me entrego ao sono bom. Eu me amo e está tudo bem!

170
CARTA 32
As boas oportunidades estão sempre vindo na minha direção. Reconheço e as aproveito na minha vida!

180
CARTA 34
Cada espaço de tempo entre meu sono é precioso. Enquanto descanso, meu corpo e minha mente se renovam. Acordo disposto e bem-humorado.

190
CARTA 36
Tenho prazer em cuidar do meu corpo, da minha energia e do meu espírito. Está tudo bem no meu mundo.

194
CARTA 37
Amanhã é outra oportunidade para preencher o meu dia com positividade, esperança e amor-próprio.

198
CARTA 38
Quando eu acordar, vou abrir meu coração para todas as coisas boas que vierem ao meu caminho.

202
CARTA 39
Meu quarto é um santuário para dormir. Aqui me sinto seguro e bem. Entrego meu corpo ao descanso.

208
CARTA 40
Amanhã acordarei disposto e pronto para alcançar meus objetivos. Amanhã é o início de um novo e vitorioso ciclo.

212
CARTA 41
Não importa ou quão cansado ou sobrecarregado me sinto agora, sei que ao acordar estarei energicamente bem e cheio de ideias criativas.

216
CARTA 42
Eu me amo e me coloco no melhor. Ao dormir entrego meu corpo ao descanso embalado de paz. Nada me atrapalha.

220
CARTA 43
Em mim basta! Escolho agora não carregar mais nenhuma mágoa! Durmo em paz e sei que meu emocional está sendo renovado para o melhor que está por vir.

224
CARTA 44
Eu me amo e está tudo bem!

228
CARTA 45
Eu me preparei para este momento e me sinto uma pessoa merecedora de descanso. Eu me amo incondicionalmente e relaxo profundamente enquanto durmo.

234
CARTA 46
O que me serviu no passado não me serve mais agora! Durmo bem e ao acordar serei uma pessoa renovada e cheia de otimismo!

238
CARTA 47
Sou livre! Estou em paz! Sou abençoado(a). Enquanto durmo tenho o sono protegido pelos cuidados divinos!

242
CARTA 48
Enquanto estiver dormindo minha mente será como uma peneira, deixando escoar todo pensamento negativo, sobrando apenas o bem e tudo aquilo que me eleva para o melhor.

246
CARTA 49
Agradeço a tudo que vivi hoje! Encaro a vida como um aluno na escola, aprendendo a ser sempre melhor. Me adianto e agradeço a tudo de bom que viverei amanhã!

250
CARTA 50
Há pó de ouro em mim. Enquanto descanso meu corpo, recebo as bênçãos que amanhã se revelarão em forma de ideias rentáveis.

Carta 1

Sei que hoje foi
um bom dia!

Tudo que me aconteceu foi **mais um degrau evolutivo** e **me fez bem.**
Sou aluno e não vítima.
A **força** e a **confiança** estão comigo nesta noite boa de sono.

Tenha sempre em mente que a imagem da vítima não o ajuda em nada. Vai aparecer, sim, uma lista imensa de afirmações e ideias negativas justificando o seu fracasso, a sua derrota, e você pode até achar mesmo que é vítima do sistema e de tudo que o cerca. Saiba, porém, que você precisa ter coragem para tomar cada decisão.

Se vai aplicar a decisão de emagrecer, de encerrar um ciclo, de fazer dinheiro ou de prosperar, você tem que ter coragem! **Coragem não é a falta de medo; é o enfrentamento do medo.**

Você lerá muito aqui sobre sentimentos, sobre maneiras de pensar, sobre comportamentos e dicas para o dia a dia mesmo, coisas que fiz e que deram supercerto para mim.

Por isso, quero compartilhar com você. Sobre a coragem, muita gente diz assim: "ai, não tenho coragem de terminar meu namoro, não tenho coragem de ir a tal lugar, de fazer tal coisa"; mas não se dão conta de que precisam ter coragem, precisam enfrentar o medo – é isso que chamamos de coragem!

Você acha mesmo que um soldado, quando chega à guerra, não sente medo? Lógico que sente! Ele entra no campo de batalha morrendo de medo! Mas vai em frente, não tem saída! E a gente, na vida, muitas vezes fica olhando para a zona de conforto e não sai do lugar, não sai de onde já deveria ter saído!

Falando de guerra e de soldado, me lembrei de uma coisa muito interessante.

Napoleão Bonaparte, nas guerras na Europa, quando seus soldados chegavam a um local em que iriam combater, dava ordem para que colocassem fogo nos barcos. Eles ateavam fogo nos barcos que levavam os soldados até lá, depois os soldados ficavam ali, da praia, olhando o barco queimar.

Ele dizia: "vocês estão vendo aqueles barcos queimarem? Sabe o que significa? Que vocês não têm para onde voltar, e, se vocês não têm para onde voltar, vamos ter que ganhar esta guerra!"

Aquilo dava força para os combatentes, porque, se não tinham para onde voltar, se o inimigo os visse ali na praia, eles sabiam que iriam morrer. Então, a missão era empregar todas as forças para vencer aquela guerra.

E era o que acontecia: diversas vezes, ganharam as batalhas porque não tinham para onde voltar.

Carta 2

Agradeço ao meu corpo
por cada passo, por cada respiração.

Tudo fluiu bem e assim será minha **noite de descanso!**

Agradeça por seu corpo, sua vida, sua casa, sua cama...

Agradeça por tudo pelo que você passou, agradeça, agradeça e agradeça, mas diga: "não estou mais lá no meu passado. Não sou mais aquela pessoa!".

Quando alguém me encontra e fala "nossa, você não é mais o mesmo!", eu falo: "graças a Deus não sou mais o mesmo, e graças a mim também, que me esforcei muito para não ser mais o mesmo!". Sabe por quê? Porque se eu fosse o mesmo, estaria lá vendendo peixe na feira, trabalhando na feira, na vida de pobreza e dificuldade, de passar vontade, de sonhar em ter as coisas e não poder!

É preciso coragem para ir para a frente, e você tem que entender que suas pontes foram queimadas. Não dá para voltar ao passado. Olhe para a frente, para a sua vida, porque, para enfrentar a vida, tem que ter coragem. Você tem que se amar para enfrentar a vida, tem que ter certeza de que é uma pessoa boa suficientemente para dar certo, parar com a loucura de que não vai dar certo. Vai dar certo, SIM! JÁ DEU CERTO!

Olhe quanta coisa na sua vida já deu certo, você só não está percebendo. Hoje mesmo, no seu dia, você acordou e se vestiu, tomou um café; quantas pessoas hoje não tiveram essa possibilidade, porque morreram à noite? Milhares não viram esse dia; nós pudemos ver, eu e você, e temos a possibilidade de construir um futuro melhor para nós mesmos. Um futuro melhor para quem a gente ama, com sabedoria, com inteligência, com amor, com gratidão e com coragem, porque coragem não é falta de medo, é enfrentamento do medo.

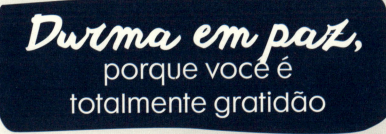

Durma em paz, porque você é totalmente gratidão

Carta 3

Cada desafio hoje **foi um degrau a mais para** **meu sucesso.**

Escolho **bons pensamentos** para ter uma **noite em paz** e com **bom sono.**

Você está dentro de você; eu não estou dentro de você.

Esse espírito que está dentro de você o está suportando por trinta, quarenta, cinquenta anos, então essas situações são suas, são questões suas que você precisa trabalhar.

Mas seu chefe está chegando, está cheio de coisa para resolver, cheio de problema; já chega na empresa dizendo "vamos ver onde vai dar problema hoje!", já está totalmente negativo. Aí vem você, que está lá na sua mesa com a bunda na cadeira, e diz, cutucando o colega ao lado: "aí, você viu? Hoje ele está naqueles dias, deve ter brigado com a mulher." Como você, o colega responde: "hoje ele dormiu de calça jeans, porque olha só como está nervoso, chegou estressado!". Gente, pelo amor de Deus! Você já viu gente assim? Eu já cansei de ver!

Somos coautores de Deus na nossa vida. Então, se sou coautor de Deus na minha vida, na minha origem, por que há quem não vai para a frente? Não vai para a frente por uma série de fatores – não é só um. É porque não presta atenção em si mesmo, não se ama, vive na escassez, com cabeça de escassez, de pobreza, está sempre na negatividade. É aquela pessoa de quem você tem até medo de ficar perto, porque ela o leva para o fundo do poço em dois minutos.

Você começa a conversar com ela e entra em depressão. Você conhece gente assim? Porque eu conheço e preciso me afastar, porque sou uma pessoa que lida com criatividade, que lida com positividade; tenho um monte de pessoas para quem preciso levar mensagem positiva. Vou deixar alguém me levar para o fundo do poço em dois minutos? Eu, não! Quero alguém que me leve para cima, para a frente, para o alto!

Esses dias, ouvi uma frase que adorei. Era mais ou menos assim: "se não vai decolar, libera a pista, meu bem, que eu tô indo!".

Existe gente que fica interditando a pista. Mas se não vai decolar, libere espaço. Se você não vai voar, libere a pista, porque há quem queira voar – e ninguém pode esperar ninguém, cada um é único! Aprenda com cada degrau, evolua e descubra como trabalhar coisas boas a seu favor. **Vamos voar mais alto?**

Carta 4

Amanhã farei mais *escolhas saudáveis*. Peço perdão ao meu corpo se hoje não me cuidei. Amanhã, **meu autocuidado** *será ainda melhor,* porque eu me amo e está tudo bem.

Você é a coisa mais importante no mundo para si mesmo! Cuide-se. Esteja do seu lado e não abra mão disso jamais.

Diferentemente do que certos locais veiculam, o autocuidado não está diretamente associado ou limitado à rotina de cuidados estéticos.

Para ser posto em prática, exige que antes nos façamos uma pergunta: do que realmente preciso para ficar bem no dia a dia?

A resposta a essa pergunta envolverá o exercício do autoconhecimento e uma mudança de mentalidade, antes da transformação no comportamento.

A dica é separar um tempo para a reflexão. Pense na sua rotina e no quanto ela cumpre seus objetivos e desejos. Não exagere para agradar ninguém. Sempre que a gente tenta agradar aos outros, está desagradando o próprio espírito.

Coloque na balança o que o impede de atingir seus objetivos e como você tem utilizado seu tempo. Há tempo no seu dia para você exercer, de alguma forma, o autocuidado? Você está disposto a abrir mão de algo?

Criar hábitos novos de vida não é uma tarefa fácil, mas é totalmente possível. Exige força de vontade e determinação.

Por isso, entenda que você não vai conseguir – nem precisa – colocar tudo o que deseja em prática da noite para o dia. Uma sugestão é escrever uma lista com tudo que quer fazer, em ordem de prioridade, e aí seguir um passo de cada vez.

Se ainda estiver sem sono, escreva três coisas que fará amanhã para você.

_____

_____

_____

Carta 5

Escolho pensamentos de *gratidão e abundância.*

Só eles têm espaço na minha cama.

Acredito no **bem e no melhor.**

Acredite no bem e esteja no bem.

Sabia que você é uma pessoa sozinha? Peguei você agora, né? Não esperava que eu fosse falar isso! Todos nós somos sozinhos; a gente nasce, se desenvolve, cresce e morre sozinho.

A alma é única.

A mãe, por exemplo, vai dizer "o meu filho é meu!". Mas não é! O seu filho não veio de você, veio por meio de você; você foi um canal incrível, gerou uma alma dentro de você, parabéns! As mulheres têm uma força de que às vezes nem se dão conta. Você é maravilhosa, não vejo outra possibilidade que não fosse a mulher para gerar, para dar à luz um novo ser humano. É porque a mulher é sensível, mais amorosa, tem uma sensibilidade, uma perspicácia, um amor incrível, e todos fomos gerados por uma mulher e viemos por meio daquela mulher em uma das menores casas.

Animais que somos, dependentes como todos os mamíferos – um mamífero precisa da mãe dele para mamar, nós também. Precisamos de outros seres humanos também, para nos ensinar, para nos dar comida, casa, acolher e dar calor, senão morremos de frio! Se sua mãe não o tivesse embrulhado no cobertor, você teria morrido na primeira noite em que fez frio! Se acordou com frio, imagine você, bebezinho, recém-nascido, que estava acostumado a ficar em uma barriga quentinha. Você chorou, e a mãe teve que ir lá cobrir. Imagine que chega um tempo em que você precisa crescer, precisa ser você, precisa voar, precisa ser coautor da própria vida!

Agradeça e tenha coragem de mudar o que precisa ser mudado. Não seja mesmo um homem bananão, uma mulher pamonha, título de Miss rancho da Pamonha, ou o cagão que fica sentado em cima da fralda cheia vendo a vida ir para baixo, para o fundo do poço, e não faz nada.

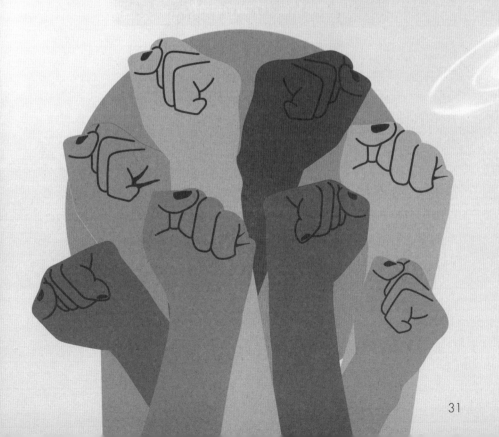

Carta 6

Eu me sinto saudável
e me preparo para uma
noite boa de sono.

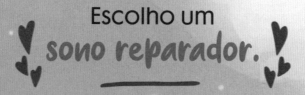
Nada vai me atrapalhar
neste momento.

Escolho um
sono reparador.

Você tem uma **LISTA DE COISAS NEGATIVAS!** Todos temos. É preciso trabalhar todos os dias para reprogramar isso. A gratidão ajuda porque coloca seu foco no que é mais positivo e bom.

Se eu olhar agora aí na sua cabeça, tiro um pergaminho de dentro dela, de tanta coisa negativa que você tem como reforço – negativo – para não ir para a frente. Vamos arriscar essa lista, vamos trocar essa lista negativa, vamos colocar uma positiva, vamos acreditar lá em cima, trazer energia, trazer Deus para dentro de nós. Pare com isso de achar que Deus está longe, lá no céu! Deus está dentro. Quero ver você batendo no peito e dizendo: "Deus está dentro de mim!".

Escreva a sua vida. Nela você é 100% responsável pela forma como vive; 100% de tudo na sua vida é culpa sua! Deus não castiga, não pune, porque ele já lhe deu tudo. Olhe o seu corpo todo funcionando, o olho piscando, o nariz respirando, a boca deglutindo, o sangue circulando, coração batendo, fazendo digestão, o seu pé, pele, unha, cabelo – e você nem percebeu! Piscou, então tudo está funcionando em perfeita harmonia, e o que que você faz com a cabeça? Ferra com tudo e coloca toda a negatividade!

"Não está funcionando, não tá dando certo, não é para mim, por que só comigo acontece isso?" É só negatividade, só vai indo para o fundo do poço, até chegar a hora de assumir seu papel na editora da vida, que é o papel de coautor de Deus, e imprimir sua história de sucesso, de alegria, de perseverança, de persistência e ir para a frente, porque é para a frente que se anda!

Por isso é que, no carro, o para-brisa é imenso!

Carta 7

Amanhã será um dia de
boas decisões.
Escolho ser feliz e
estarei ao meu lado.
Durmo em paz
e sem ansiedade,
a tranquilidade está
na minha cama.

> **Muitas coisas boas estão por vir. Coisas boas estão vindo na sua direção!**
> Enquanto você dorme, o Universo trabalha a seu favor. Durma positivo e acredite nisso.

Comece a falar e pensar coisas positivas! Sei que hoje, logo que acordou, você pensou: "preciso de uma dose diária de motivação".

Sua dose de motivação diária é você, porque, quando se olha no espelho, você tem que dizer: "o espelho é feito para me amar, e eu me amo, me coloco no melhor, estou saudável, me amo e abro infinitas possibilidades para mim, me amo e está tudo bem!".

Olho no espelho e dou um sorriso para mim, digo aqui dentro da minha cabeça mesmo, eu com as minhas fantasias: "tudo está dando certo, minha vida está boa, maravilhosa, tudo fluindo!". No final, dou um sorriso e digo: "eu me amo e está tudo bem!". Solto o ar bem devagar!

Agora você, vamos respirar!

Nem respirar você tinha respirado direito hoje. Estava respirando curtinho, como se fosse ganhar neném, respiração de ansiedade!

Você tem que respirar fundo! E não é para levantar o ombro! Abaixa o ombro, você não respira com ombro, respira com os pulmões!

Deixe os pulmões se encherem de ar. Sinta o peito e diga: "eu me amo, está tudo bem, eu me amo e me coloco no melhor". Repita para dentro de você e sinta. Ninguém está vendo, coloque a mão no peito, deixe de se preocupar com os outros!

Deixe de se preocupar com o que os outros vão falar de você! Mania feia que você tem de ficar pensando sobre o que os outros vão achar de você; ninguém vai aí na sua casa perguntar se está faltando alguma coisa. Já faz tempo que você precisa parar com esse papel de tonto, de se preocupar com os outros. Não estou nem aí com o que estão achando de mim, eu tô aqui com a mão no peito respirando e bem tranquilo.

Nessa calma, diga confiante: "amanhã será um dia em que escolho ser feliz e estarei ao meu lado".

E sem ansiedade, a tranquilidade está na minha cama.

Carta 8

A abundância é
minha natureza.

É fácil e bom ser
abundante.

Sou persistente e
vivo no melhor.

E não tem dia da semana, porque, se quer estar de bem com a vida, não importa se é segunda ou sexta ou se é domingo – isso é rótulo, e é o ser humano quem cria.

Na natureza não existe esse rótulo; se reparar, na natureza não tem cerca e não tem fronteira, ela é livre. É o ser humano que vai lá e delimita tudo, coloca fronteira, cerca, arame e muro. Criamos muros! A gente delimita. Aqui é Brasil, ali é Argentina, não sei onde é Estados Unidos, e assim vai. LEMBRE-SE: A ABUNDÂNCIA É SUA NATUREZA!

A gente cresce achando que na vida as coisas também têm limites e cercas. Na espiritualidade, não tem, não existe essa coisa de cerquinha ou segunda, terça ou quarta; se tem que acontecer uma grande coisa para você hoje, você cocriou uma vida superlegal, não tem dia e, não, não tem hora! Tudo acaba fluindo.

Imagine, você acorda e diz: "hoje é domingo, hoje eu tô feliz", aí daqui a pouco você acorda e diz: "hoje é segunda, eu não tô nem aí porque hoje é segunda, dia de serão". Na segunda-feira, você já chega no trabalho perguntando: "falta muito para sexta?". Gente, se atualize! Isso já foi, não tem mais graça, é pior do que aquela piada do Natal que, quando alguém diz: "fiz um pavê", um tonto pergunta se é pra ver ou pra comer. Ou, então, "quem está na ponta da mesa paga a conta!". Essas piadas de quarenta, cinquenta anos atrás, sabe? Atualize-se! Vá para a frente!

A vida passa voando! Antigamente eu tinha que rodar dando palestra aqui e ali. Pegava meu carro, enchia o porta-malas de livros. Lançava meu primeiro livro, segundo livro, e a gente rodava quantas vezes fossem necessárias. Foram quase todos os estados brasileiros, o único a que não fui ainda é o Acre, ainda falta conhecer! Rodei esse Brasil afora com mala nas costas e mochila, e muitas vezes minha mãe e meu irmão me ajudavam, e corríamos para poder vender todos os livros no final das palestras.

Eu comprava mais livros para poder vender, para poder fazer circular, para o maior número de pessoas poderem conhecer William Sanches. A gente dava palestras. Quantas vezes fui a Sorocaba, Campinas, Gramado, Canela, fiz muitas palestras em Nova Petrópolis, Brasil afora! Aqui, no interior de São Paulo, em São Roque, cidadezinhas como Mairinque, Mairiporã, Cotia, Itapevi, Jandira, Barueri, rodei muito na época do rádio! Fazia programa de rádio de manhã, às seis da manhã, e depois à noite. Tinha também as palestras aqui em São Paulo, em muitos bairros, Penha, Cangaíba, Tatuapé, e em Guarulhos, Arujá. Isso tudo para divulgar mensagem positiva e para levar esperança a pessoas que estavam desanimadas. Fiz em ONGs, casas espíritas, em muitos lugares, tudo gratuito. Dei muita palestra gratuita minha vida inteira.

Houve uma época em que coloquei na cabeça que queria fazer em palestras, e foi um ano inteiro, toda semana, palestras e mais palestras. Algumas vezes era a semana toda de palestras, e foram tantas que acho que até passou um pouquinho. Tudo gratuito.

Aí depois veio a internet. Foi tão bom porque a gente começou a gravar vídeo para o YouTube, e aquilo que eu falava só ali para cem, duzentas ou trezentas pessoas, aumentou para mil, duas mil, de repente 45 mil pessoas assistiam. Hoje há vídeos meus no YouTube que passaram de dois milhões de visualizações.

Como seria possível reunir dois milhões de pessoas em uma palestra? Então, para isso, você tem que ter coragem, tem que arregaçar a manga e ir em frente! Não é para arregaçar a manga e ir à luta, porque quem gosta de luta gosta de guerra, gosta de sangue, gosta de sofrer. Você, que acorda de manhã e fala: "vamos pra luta! Vamos para mais um dia de guerra!", está fazendo errado.

Isso é negatividade, e ninguém aguenta negatividade, mau humor. Tem gente que ama você, mas tudo tem limite. Pessoa negativa atrai mais negatividade. O Universo só diz sim, e ele manda para você, sim! Então, quando você diz: "vamos para a guerra, vamos para a luta", o Universo diz sim. "Olha, a gasolina tá cara, não dá para nada o dinheiro, vou no mercado e não sobra nada, volto só com uma sacolinha! Não tenho dinheiro, meu dinheiro não dá para nada, não sei como consegui chegar no fim do mês! Esse mês está difícil, não tem dinheiro!" O Universo só diz sim. Estou rindo imaginando a sua cara, porque, quando você olha para o espelho e diz: "como eu estou velho! Todo enrugado, estou todo caído", o Universo diz sim, e você continua mais velho e mais feio – e mais caído, porque está criando essa realidade na sua vida.

Da mesma forma, quando você olha para o espelho e diz: "estou lindo, estou mais jovem, estou mais saudável!", o que que o Universo vai dizer? Sim! E você fica mais saudável, fica mais bonito, fica mais esperto, fica mais criativo, fica mais dinâmico, isso traz mais energia!

Você coloca uma roupa boa e bonita. E aí, quando chega na empresa, no seu negócio, na sua loja, no seu serviço, como estará a sua vida? Ou aí mesmo na sua casa, você chega na sala e já dizem: "nossa, onde você vai bonita assim?". Olha como mudou a energia! Alguém responde: "você está tão bonito hoje!".

Quantas vezes você chegou ao trabalho e se arrumou

só um pouquinho, pegou aquela camiseta nova que estava guardando em casa para usar no momento especial? Hoje é esse momento especial, hoje é o seu dia! O dia mais bonito da sua vida, e você pôs sua camiseta mais bonita – pode ser uma bem simples! Não sou ligado com coisa de marca, não estou nem aí, se acho bonito eu levo! Já coloco no dia seguinte, às vezes no mesmo dia. Aí você chega com a camiseta nova, as pessoas falam: "que camiseta linda! Onde você comprou? É que você ficou superbonito nessa camisa!".

Pronto, mudou sua energia!

Porque você disse sim para você, você disse sim para a vida, disse sim para a energia positiva, disse sim para você!

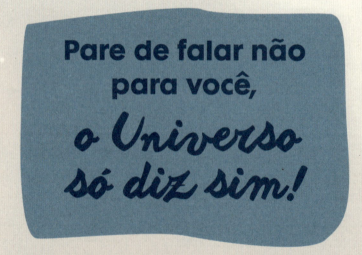

Pare de falar não para você, o Universo só diz sim!

Carta 9

Durmo em paz e amanhã acordarei com

VITALIDADE E DISPOSIÇÃO.

Será um dia de grandes vitórias.

O Universo só diz sim.

Então, todo o nosso pensamento precisa ser muito bem elaborado.

Quando nascemos, viemos como um computador zerado e temos ao nosso lado um monte de gente falando negativo, dizendo porcarias o tempo todo.

Crescemos achando que é assim tem que ser, que o dinheiro é difícil mesmo de ganhar, que nada para você dá certo, que tudo para você tem que ser assim, que nada é para você, e carregamos isso por muito tempo na vida.

Continuamos repetindo aquilo tudo.

Então, quando a gente elabora um pensamento para a vida, o que fazemos? Repetimos esses padrões.

Já se pegou fazendo coisas que viu seus pais fazendo? Repare nisso. Como seu pai e sua mãe se comportavam com relação ao dinheiro? Como seu pai e sua mãe se comportavam no relacionamento deles?

O que aprendemos sobre o dinheiro, sobre relacionamento, foi observando de quem está à nossa volta; depois temos a chance de perceber e trabalhar para melhorar nossa vida de acordo com os livros que lemos, de acordo com o que a gente se predispõe, com os cursos, com os áudios que escutamos.

Hoje já devo ter passado de setenta mil alunos, e isso me deixou muito feliz, porque vejo que as pessoas realmente querem estudar e querem continuar sendo pessoas melhores.

Elas querem prosperar!

Tenho muito orgulho da minha história e de ter conseguido sair da feira em que eu trabalhava com meu pai e, depois, conseguido cursar a minha primeira faculdade e ter sido professor do estado.

Depois me tornei terapeuta e atendi em consultório, sempre batalhando para lançar um livro e fazer palestras, para fazer meu trabalho ser conhecido pelo mundo todo.

Hoje olho para trás; tenho 26 anos trabalhados. E nesta semana tive uma grande vitória; as pessoas que estavam à minha volta me parabenizaram, e eu disse: "foram 26 anos para essa conquista!".

Então a gente cresce, a gente evolui.

Mas muitos acordam de manhã e naturalmente

Eu posso ser uma pessoa melhor!

Posso ser uma pessoa que vai além de onde está. Não é só ser abundante, **é ser uma pessoa que transborda!**

já fazem uma comparação com outras pessoas – meu amigo Bruno Gimenes diz: "na guerra da comparação, a sua autoestima nunca sai ilesa!".

E concordo muito com ele, porque, quando você começa a se comparar com outras pessoas, sua autoestima vai lá para o fundo do poço, você vai lá para o rodapé, e o rodapé é o lugar das baratas; você tem que estar um metro e meio acima do chão, onde ficam os quadros bons, as obras de arte!

Neste momento aqui que você me ouve, já está buscando se colocar no melhor, essa é a grande sacada.

Quando nos propomos a melhorar, já estamos colocando a energia para ser melhores – e lembre que o Universo só diz sim.

Então, se estou estudando e trabalhando em um método para destravar minhas crenças limitantes, olho como eu penso, como falo, como estou agindo, e é nessa hora que digo assim:

O sentido da palavra transbordar é ir além da borda, e normalmente se refere a uma pessoa generosa, que não se envergonha de ensinar os outros, não acha ruim colaborar com aquilo que já aprendeu.

Estou compartilhando com você aquilo que realmente coloco na minha vida e que realmente deu certo.

Todo método que eu aprendo, aplico na minha vida.

Vejo os resultados, depois aplico mais duas ou três vezes no mínimo, e depois de avaliar coloco no meu livro; se sei que dá certo, precisa estar em uma aula.

Então começo a compartilhar com as pessoas, porque esse é o meu trabalho.

Confie!

Durma em paz e amanhã acordará com muita disposição para mudar o que precisa ser mudado. *Será um dia de grandes vitórias!*

Carta 10

Venço meus medos com facilidade e *tenho gratidão por isso.*

Durmo em paz e me recupero a cada minuto dormido. Acordo bem e mais jovem.

Você vai acordar bem mais jovem!

A juventude está na mente.

A cabeça que confia no positivo e no melhor está sempre se revigorando. Sabia disso?

Pense comigo no seguinte: todos temos uma missão aqui no planeta, e nossas missões estão unidas.

Então, uma pessoa que trabalha para pintar uma parede, pôr um papel de parede, reformar um carro, fazer manutenção, pôr gasolina, ou trabalha na rua varrendo, outra lá no poste arrumando a lâmpada que queimou, estão todas interligadas.

Todo mundo que está saindo para trabalhar está indo para a sua missão; eu estou na minha missão, estou no meio do trabalho, estou no meu momento, que é o de estudar, produzir, escrever e pesquisar.

Estudar sobre a vida de vários autores, ver o que tem de bom, procurar as doutrinas.

Já vim de uma família evangélica, depois fui me aprofundar no catolicismo e mais tarde no espiritismo.

Já fui para a Índia e estudei budismo – isso me ajudou a ver o lado bom de tudo, e aplico veementemente na vida.

E funciona! Essas reflexões que deixo aqui são muito importantes, porque estão fazendo com que você também abra o seu canal, o canal natural que todos temos. Um canal de sensibilidade.

Você não precisa ser espírita ou umbandista, ou seicho-no-iê, não precisa de nenhum rótulo – o próprio ser humano inventou o rótulo.

Somos um canal de sensibilidade e de prosperidade e abundância.

Quando não estamos nessa linha, é porque saímos dessa rota, nos desalinhando, igual a um trem que acaba descarrilhando.

É a mesma coisa com a gente: estávamos ali na linha, com tudo fluindo, porque é assim na natureza – nossa natureza é sermos abundantes e prósperos –, e de repente algo não dá certo, não vai para a frente, e você só usa pensamento negativo.

O Universo continua fazendo a função dele, que é dizer sim.

Ele então lhe diz sim, e você faz o quê?

Tem os mesmos resultados.

O Universo só dá para quem já tem.

Se você está com medo, o Universo vai lhe mandar mais medo.

Se está na escassez, o Universo vai mandar mais situações de escassez.

Se está na prosperidade, o Universo com certeza lhe manda mais, mais saúde, prosperidade!

Dinheiro atrai dinheiro. Quem tem dinheiro faz dinheiro.

Mas isso é governo, porque tá difícil, é porque... PARA! Desde que nasci (faz quarenta anos!) que escuto que é o governo, no Brasil ninguém vai pra frente, porque está difícil esperar, está difícil evoluir na vida, porque o dinheiro não dá pra nada, político nenhum serve, tudo é corrupto!

O Universo só diz sim.

Se você tem esse tipo de visão, só vê esse tipo de coisa, se só tem visão para a escassez e para a falta do dinheiro, porque o seu país é difícil, o Universo só diz sim.

Eu prosperarei no meu Brasil maravilhoso que eu amo. Trabalho aqui por escolha; já poderia, se quisesse, morar em qualquer outro país do mundo – e não quero. Deus quis que eu viesse para o Brasil.

Deus confiou a mim uma tarefa para ser feita aqui, e aqui estou agora! Se lá na frente eu encerrar um ciclo aqui no Brasil e for para outro país, está tudo bem também, vou trabalhar de onde estiver.

Escolhi ficar no meu país que amo e aqui prosperarei, aqui fui para a frente! Agora tem gente que diz não, o Brasil não dá! Ninguém vai pra frente no Brasil!

O Universo diz sim!

Refletir sobre isso tudo vai ajudar você a despertar! A ter uma cabeça mais legal – e tudo começa na cabeça.

Quando a gente tem uma cabeça legal, as coisas começam a fluir, e vêm dez ideias criativas, a criatividade chega para a gente.

Coloquei ideias milionárias de dinheiro inesperado na cabeça – se você for com os problemas, só vai vir mais problema, lembra?

Pensamento negativo significa que mais disso vai vir para você. Organize o seu pensamento, traga um pensamento positivo no lugar desse que está negativo.

> *Fale para si mesmo agora:*
> Venço meus medos com facilidade e tenho gratidão por isso. Durmo em paz e me recupero a cada minuto dormido. Acordo bem e mais jovem.

Carta 11

Velhas crenças limitantes
não possuem mais espaço na minha mente.

Ao dormir restauro minha mente próspera.

Você pode ir além do lugar em que está! Sabia disso? Nunca ninguém falou isso. É claro que às vezes temos gente ao nosso lado para falar o contrário. Tem gente que chega para dizer assim: "olha, é melhor você não ir. Melhor ficar do jeito que você tá, porque a vida é difícil! O mundo lá fora é complicado. Melhor um pássaro na mão do que dois voando!". A gente escuta muita coisa assim a vida inteira. É realmente difícil chegar alguém e falar: "você pode ir muito além do lugar em que está!". E estou aqui para dar um tapinha nas costas e falar mesmo para você.

Você pode ir muito além do lugar em que está agora, só precisa assumir seu papel.

Você está exatamente onde se coloca, porque não existe segredo. Antigamente, se falava muito sobre o segredo. Mas esse segredo foi revelado há muito tempo. Cada um dos seus pensamentos é uma coisa real, é uma força. Cada um dos nossos pensamentos gera uma força, e então, quando a gente pensa que o lugar em que está é o lugar em que merecemos estar, damos vida a isso. Estudamos no capítulo anterior que o Universo só diz sim e ele só vai repetir o que seu pensamento governante está dizendo. Então, se tenho um pensamento governante que é o de assalto, estou o tempo todo criando esse assalto, porque cada pensamento meu é uma realidade, é uma força, e o Universo começa a se movimentar para que aquilo aconteça. Nunca aconteceu com você de pensar em uma pessoa e essa pessoa logo lhe telefonar ou mandar uma mensagem? Já aconteceu comigo muitas vezes. É tão forte comigo essas coisas que pego o celular para escrever para uma pessoa e já a vejo digitando.

Lembro uma vez, quando eu fazia programa de rádio na emissora Boa Nova. Havia um rapaz que trabalhava comigo, e tínhamos uma sintonia incrível. Às vezes eu pensava em uma coisa, e ele já pensava o mesmo. Certa vez, eu estava gravando um texto dentro do estúdio, e ele estava lá do outro lado, enquanto eu gravava e pensava: "preciso pedir para me entregar um pen drive". O estúdio da rádio ficava todo fechado, para não entrar nenhum som lá de fora, e ele estava lá do outro lado do vidro. E gravei pensando naquele pen drive com as coisas que pedi para ele separar para mim; sabe aquela coisa de ficar se lembrando toda hora, para não esquecer? Quando terminei de gravar, abri a porta do estúdio, e ele veio me entregar exatamente o pen drive. Chegou e me disse: "aqui estão as músicas que você tinha pedido para eu separar para você analisar!". Eu pedia para ele separar, às vezes, músicas, conteúdos, para eu ir ouvindo no carro a fim de aproveitar o tempo do trânsito e já provar coisas para o programa da semana seguinte. E ele já me entregou o pen drive. E há tantas outras histórias.

Tenho certeza de que isso já aconteceu com você. É claro, estou contando uma história minha para você perceber que isso pode acontecer o tempo todo. Então, você pode ir além, muito além, do lugar em que está – desde que acredite em você. Você está atraindo tudo que está vindo para sua vida. Às vezes, acha que está aí porque foi Deus quem preparou, que foi Deus quem trouxe isso, foi Deus quem quis assim. Então, quando dá errado, você fala: "Deus quis assim", e quando consegue você fala: "eu consegui", quando algo dá errado depois, já desiste e reforça a crença: "ah, deixa pra lá, Deus quis assim!". Então, você tem que ir atrás de todas as coisas. O que você vive são imagens que um dia você projetou mentalmente.

Somos animais pensantes, animais que pensam sobre o próprio pensamento. Não sei se meu gato pensa sobre o próprio pensamento dele, mas sei que penso sobre o meu. Às vezes a gente está pensando em uma coisa e fica assim: "caramba, por que pensei isso? Por que tô com esse pensamento?". Às vezes, em uma tristeza que você nem sabe de onde está vindo, não presta atenção nos seus pensamentos. Não importa o que esteja na sua mente, é isso que você está atraindo para si. Vou repetir: "não importa o que esteja na sua mente agora, é isso que você está atraindo para si!".

Você está atraindo para si mesmo, o tempo todo, o que está nos seus pensamentos, porque o pensamento é sempre uma coisa. Preste atenção nisso. Se você começar a pensar negativo hoje, seu dia vai ser um bagaço! Se sabe que está atrasado, você sai xingando porque saiu atrasado, porque tudo está uma porcaria, porque demorou, porque ninguém o ajuda com nada. "Ah, porque minha vida está complicada, porque não aguento mais, esse ano que já tinha que terminar!" Como se um calendário mudasse uma vida, né? O que muda uma vida são atitudes, não é calendário. Traga sempre à mente pensamentos positivos e renovadores para si.

Durma em paz com as sementes da positividade lançadas *no jardim da sua mente.*

Carta 12

Estou em paz!
Eu sou a minha paz!
Durmo a minha paz!

Quer saber uma coisa que o deixa muito em paz?

Parar de achar que deve satisfação aos outros. Parar com a necessidade de contar sobre os seus projetos. Você vai dormir muito em paz depois de ler tudo isso que tenho para falar.

Você já reparou que tem coisa que você conta para os outros, mas que está falando para si mesmo? Pense um pouco. Você repete para você mesmo igual a uma tonta! Vou lhe dar um exemplo bem legal.

Tem homem que fica toda hora falando que é pegador, que pega mesmo, que passa o rodo, que faz isso e aquilo, só que no fundo está falando para ele mesmo, nem ele acredita nas coisas que está dizendo – por isso, tem que repetir o tempo todo. Ele passa o tempo todo falando de si e se provando! Quem é não fala, quem é fica quieto, quem é está do jeito que tem de ser.

Não temos que ficar contando para os outros para autoafirmação. Você diz que gosta de contar para a sua amiga, tudo bem, vocês têm uma amizade bacana, mas conte depois que já tiver feito. "Não posso nem mais conversar, William?" Converse, sim, mas só conte sobre os seus planos depois que as coisas já deram certo; depois que já comprou o carro, por fim você conta!

"Acabei de comprar um carro novo, passa aqui para a gente tomar um café!"

Você vai notar que as pessoas vão achar estranho que você não contou nada antes. Elas já começam dizendo: "nossa, trocou o carro e nem me falou?". Porque tem gente que é daí para baixo.

Se você fala que quer comprar uma Tucson, ela já coloca um monte de defeitos, que esse carro desvaloriza muito na hora que você for vender, que gasta muito dinheiro, e essa cor branca está batida. Se o carro for preto, ela diz que preto risca muito, "já tive um carro preto, só prejuízo!". Essa pessoa começa a colocá-lo para baixo.

Você já reparou que existe gente assim? Tem gente que é especialista em pôr os outros para baixo; e, como você tem a mania de contar sobre os seus projetos para os outros, nem percebe que há pessoas que, quando você está para baixo, o afundam ainda mais.

Quando você conta que vai viajar, dizem: "imagina, lá vai estar frio, lá você vai ser assaltada, está um perigo, um problema sério".

Quando você perceber, já desistiu do seu sonho, seu sonho já nem mais é seu, vai ser dos outros. Você ainda não sabe por quê? Porque você não banca a sua ideia, não banca o seu projeto. Assim, sua carência fica tão grande que você tem de ficar pedindo a confirmação dos outros, mas, quando abre a boca para falar aos outros do seu projeto, no fundo está querendo que a outra pessoa confirme que você está certo – porque no fundo, ao falar isso, você só quer validação, só quer que seu sonho seja validado!

A carência fica tão grande que, quando você tem um sonho, precisa da validação dos outros – e não é de uma pessoa só! Existe gente que pede validação para um monte de pessoas e conta para todo mundo sobre cada projeto. Para a mãe, para o pai, para o cunhado, para as amigas da faculdade. Ela chega, passa uma semana, e todo mundo sabe o que ela vai fazer.

Se você for lá no banco em que ela trabalha perguntar o que a Cecília está fazendo, todo mundo sabe. A tia do café, a tia da limpeza, a tia do balcão, a gerente, a atendente de telefone, todo mundo sabe do projeto da Cecília, porque ela fala para todo mundo.

E o que ninguém nunca lhe disse é que, se você compartilha um projeto seu com alguém, permite que a energia dessa pessoa entre nas suas coisas, e essa energia pode ser negativa, energia de uma pessoa que nem torce por você.

Se você é uma pessoa boa e acha que todo mundo é bom, que todo mundo é legal, não se dá conta de que o outro está com inveja do seu novo projeto.

A inveja é energia negativa na sua direção, mas que você permitiu entrar, porque foi lá e contou tudo sobre sua vida.

Não conto que vou lançar um livro, eu escrevo um livro, entrego para a editora e, quando está pronto, aviso todo mundo do lançamento! Não fico falando que o livro vai ser o mais vendido do Brasil.

Suas bênçãos serão tão grandes que você não vai precisar mostrar para as pessoas, elas vão ver.
Durma em paz e reflita sobre tudo isso.

Carta 13

Eu me amo e está tudo bem!

Nada me atrapalha e tudo está bem na minha vida!

Durmo em paz e em segurança.

Isso é reprogramar a mente.

Se amar, se colocar em primeiro lugar e não aceitar nada diferente disso.

Reflita comigo: Acreditar e trazer coisas boas para sua vida é sua função agora que você despertou para o assunto.

Então vou repetir: você é o ímã mais poderoso do Universo, e, se contém um magnetismo dentro de si, tem aquela coisa boa, a energia de quem vence, de quem sente alegria, que é gostosa! Essa energia é poderosa, e é aí que está o segredo; ele já foi revelado para você, e todas as pessoas que o compreenderam agora estão em uma vida muito melhor. Portanto, pare de insistir no contrário.

Diga sempre: "nada me atrapalha, e tudo está bem na minha vida!".

Um dado importante para ir dormir pensando: por que você acha que 1% da população ganha cerca de 96% de todo o dinheiro que circula no mundo? Vou repetir: 1% da população ganha cerca de 96% de todo o dinheiro que circula no mundo! Você acha que isso acontece por acaso? Muito pelo contrário! Essas pessoas compreenderam algo diferente: o poder da mente.

Não pense também que é para ficar sentado mentalizando pensamento positivo. Se ficarmos sentados emanando fluidos, acendendo incenso, girando incenso dentro de casa e sem se mover, não adianta nada. Não adianta acender incenso dentro do quarto sabendo que o problema é você.

As pessoas que atraíram riqueza para suas vidas utilizaram esse segredo que estou dizendo para você agora, de uma forma consciente ou até inconscientemente. Elas nutriram pensamentos de abundância de riqueza e não permitiram que nenhuma ideia viesse contradizer a certeza que tinham, porque criaram raízes fortes na mente. Uma árvore, quando vem uma ventania, não é arrancada do chão, porque tem raízes fortes – e ela veio a partir de uma semente que foi lançada na terra. Aquela semente germinou, e uma mudinha começou a sair, mas até acontecer vai-se criando uma raiz na terra, uma raiz profunda, forte e vigorosa que vai se tornando a árvore.

Agora, como você acha que é o pensamento das pessoas que enriquecem? Essas pessoas nutrem o pensamento delas com escassez, com pobreza, com reclamação, com fofoca, com inveja e olho-gordo? É claro que não! Elas nutrem pensamentos de abundância, de riqueza, e não permitem que ninguém as contradiga, pois suas raízes são fortes dentro da mente delas.

Sempre tive certeza, a vida inteira, que eu iria vencer. A vida toda estive lá, na feira trabalhando com meu pai e falando: "eu vou vencer, vou ser rico e vou prosperar, vou avançar na vida!". E mesmo com todo mundo dizendo ao meu lado: "não se esqueça de onde você nasceu, você nasceu pobre, todo mundo aqui é pobre!".

Meus pensamentos não diziam isso. Eles não aceitavam isso! Eram predominantemente voltados para a riqueza, mas não aquele pensamento voltado para a riqueza babando ovo dos ricos ou querendo ter carro importado; não, eu queria melhorar a minha vida mesmo!

Até mais: a de todo mundo que estava à minha volta. Eu queria, principalmente, poder avançar, fazer os cursos que eu tinha vontade, viajar para os lugares com que sempre sonhei.

Então a riqueza era tudo o que eu conhecia, porque eu só olhava para isso! Está pensando diferente? Está fazendo downloads?

É para você que estou falando agora. Se ficar distraído ou apenas fizer de conta que está estudando, não adianta nada.

Com o tempo você vai entender, pode crer, que, de

uma hora para outra, pode ficar tudo muito rápido. Não venho aqui com pílulas mágicas, com ideias; trago reflexões muito rápidas, e para compreender tudo isso você precisa estar com o canal aberto, senão você fica vagando.

Meus pensamentos sempre foram pensamentos dominantes voltados para a riqueza.

O pensamento dominante é o que governa, o que comanda, é o maior de todos.

Então, podia vir um pensamento negativo, muitas vezes um pensamento de dúvida, várias vezes pensamento de medo, várias vezes pensamento de escassez, só que o que dominava em mim era aquele voltado para a riqueza. Eu dizia: "sou um ímã poderoso do Universo".

A riqueza é tudo que conheço, e só enxergo a riqueza. Só sei me sentir no melhor e só aceito o melhor; por aceitar, me coloco no melhor! E venci mesmo! Quando eu era muito simples, preferi o melhor.

Olha como você se dá o pior! Você vai ao mercado, pega o pior sabonete, o pior papel higiênico – parece uma lixa, mas mesmo assim você pega do pior –, e não é porque não tem dinheiro; às vezes tem o dinheiro, mas fica mendigando as coisas.

Vou falar muito sobre pensamento dominante e Lei da Atração na segunda parte do livro, que é para você começar a entender melhor como a sua vida está nas suas mãos, e que aquilo em que você mais pensa é o que o está colocando onde você está.

Outro dia, uma mulher me falou: "porque você não sabe o que é viver com um salário-mínimo!".

Não estou querendo dizer isso para você.

Estou afirmando que sei, sim, o que é viver com um salário-mínimo, que já vivi até com menos, só que sei também o que é reprogramar a mente, mesmo com salário-mínimo!

Mas é para você se dar o melhor, e dar-se o melhor não é só comprar marca boa, a mais cara; dar-se o melhor também é você cozinhar com amor, servir para sua família com alegria, mudar sua vibração.

É cuidar do seu quarto, do espaço em que vai dormir, das coisas que você tem e principalmente de você mesmo.

Carta 14

A riqueza é uma realidade para mim.

Minhas células são ímãs de coisas boas.

O melhor chega até mim com facilidade.

Nada me atrapalha e tudo está bem na minha vida.

A riqueza é uma realidade para mim.

Você teve dificuldade de aceitar essa afirmação?

Faça de novo, mas agora sentindo cada significado das palavras; interiorize cada sentimento e cada coisa boa que pode fluir para você nessa sintonia.

Se acreditar que não pode, você estará certo! Se acreditar que pode, você estará certo!

Nada o atrapalha, nada quer afundá-lo! Pare de se sentir perseguido e cheio de barreiras.

Quantas coisas boas você já fez e teve até aqui! Quer ver um teste? Antes de dormir, **escreva três coisas muito boas que lhe aconteceram na vida até aqui:**

_____

_____

_____

Carta 15

Estou em segurança e posso descansar tranquilamente.

O meu quarto é **abençoado** e na minha casa **habita a harmonia.**

Seu quarto pode ser do jeito que for, não importa. Tampouco importa se hoje você está dormindo na sala ou em um colchão no chão.

É só um momento.

O que quero dizer com isso? Que seus problemas não são você. Você é muito mais que sua situação atual. Confie mais.

Se só olhar para as coisas que não estão dando certo agora, pode acreditar que essa é sua única e

realidade – e, ao acreditar nisso, você replica mais dessa realidade. Confuso? Não!

O Universo manda mais do mesmo. Se quer mudar sua vida para melhor, precisa então alinhar sua sintonia para prosperidade, começando por abençoar o espaço em que você dorme.

Faça isso, respire fundo, sinta gratidão e veja como as coisas mudarão para você.

Carta 16

Tudo vem a mim com *facilidade, alegria e glória.*
Nada me atrapalha e por isso **durmo em paz!**

Tudo fluirá para você de uma maneira espetacular. Tudo virá na sua direção como você sempre quis. Você agora está em uma sintonia diferente, mágica e cheia de coisas boas!

Faça o seguinte:

01. Diga a si mesmo o quanto é uma bênção e agradeça por cada parte do seu corpo com calma e sem pressa.

02. Abençoe agora seu espaço de dormir, elogie, admire algo bonito que você tenha.

03. Preste atenção na sua respiração por dois minutos. Procure a deixar mais calma e de uma maneira mais leve.

Repita a mensagem da carta três vezes.

Sua noite de sono será em paz e regeneradora.

Carta 17

Eu sei que posso ir mais longe, porém este é meu

momento de descanso.

Sou mais paciente e acredito em mim!

Não se cobre tanto hoje.

Sinta que já fez muito. Valorize cada passo dado e cada etapa que você subiu na vida. As coisas podem esperar um pouquinho. Este é seu momento de descanso. Se algum pensamento vier perturbá-lo, deixe ir e diga: "isso não preciso resolver agora!".

Às vezes, muitas preocupações impedem a mente de descansar e o corpo de ter um sono profundo e reparador. Isso não vai mais acontecer. Agora você tem a noção do poder da sua mente na construção da sua vida.

Confie que amanhã você retoma seus projetos. Amanhã poderá iniciar qualquer coisa. Há um dia lindo sendo preparado para você viver, e isso não é bobagem, é fé!

Colocou o relógio para despertar? Então você tem fé de que vai iniciar mais um dia. Note que a fé está nos pequenos atos do nosso dia a dia, mas nem percebemos.

Veja que esta mensagem da carta é poderosa e faz muito sentido hoje. Você esperava um apoio, e ele chegou – não do jeito que você quer, mas do jeito que você precisa.

Carta 18

Aquilo que *não deu certo hoje* pode ser melhor amanhã. *Tenho calma* e sou fonte de criatividade.

A reflexão que teremos agora pode deixá-lo com mais calma ou mais pensativo.

No final é você que vai decidir. Pense comigo: a vida é feita de ciclos.

Muitas vezes, achamos que não estamos vivendo um ciclo, que certas coisas nunca vão acabar – percebo muita gente que fala isso mesmo!

"Quero emprego que me dê total segurança, que tenha estabilidade" – palavra para a qual quero chamar a atenção: estabilidade.

Tem gente que luta por isso, que quer muito isso, mas se esquece muitas vezes de que – claro que estou dando um exemplo do emprego, mas pode ser de qualquer campo da vida – quer uma coisa para sempre, embora a vida seja feita de ciclos.

Mas, William, e o meu marido não é para sempre?

Ele é para sempre se vocês aprenderem a se amarem conforme se transformam. Vou explicar: você não é mais a mesma mulher que casou com ele há dez anos, já é outra mulher; o seu corpo mudou, a cara mudou, o cabelo mudou, seu jeito mudou, você pensa em outras coisas, e ele também; a barrigona aumentou, e as coisas mudam.

Brinco para gerar um pouco de relaxamento, porque o que quero dizer é que as pessoas mudam, então o grande segredo de um relacionamento longo é você se apaixonar pela pessoa em que o outro se transformou.

Às vezes você fala: "ele mudou, já não é mais a mesma pessoa". Graças a Deus já não é mais a mesma pessoa. Graças a Deus somos pessoas completamente diferentes hoje!

Antigamente tínhamos o pensamento de que, para ser bem-sucedido, era preciso entrar em uma multinacional, trabalhar a vida inteira e se aposentar lá.

Já ouviu esse papo? Ser chamado de orgulho da família porque trabalha na mesma empresa há sessenta anos. Isso, que era ideal para você, não é mais para o seu filho.

Ele hoje quer ser empreendedor, quer ter um carro, trabalhar em qualquer parte do mundo.

Então, quando você pega seus valores e quer vesti-los no seu filho, não está investindo na felicidade nele; está forçando-o a ser uma coisa que às vezes nem ele quer.

É preciso aceitar os ciclos.

Aí você me diz: "namorei três anos e não deu certo". Claro que deu certo! Deu certo por três anos! Do jeito que as coisas têm acontecido, do jeito que estão passando depressa, que a gente está aprendendo uns com os outros o tempo inteiro, três anos é muito tempo. Não deu para aprender muita coisa?

Hoje, no namoro a gente já mora junto; antigamente, namorar era só se ver nos finais de semana. Agora namorar é morar junto. Esses três anos deram muito certo, sim, e o namoro deu certo pelo tempo que precisava dar.

Em consultório, eu percebia que às vezes tinha gente que chegava para me falar coisas como "fiquei casada trinta anos e pena que não deu certo", e eu dizia: "mas como que não deu certo se vocês ficaram juntos trinta anos? Deu certo por trinta anos e está tudo bem".

Agora vocês vão iniciar um novo ciclo, de repente você vai aprender novas coisas, vai ter uma nova profissão, fazer um novo caminho, um novo trajeto, e a outra pessoa com quem você se relacionava também vai conhecer outras pessoas, vai aprender sobre outras coisas, e isso é respeitar os ciclos.

Aquilo que não deu certo hoje pode ser um sinal de um ciclo que se encerrou ou de um novo recomeço amanhã.
É você que decide.

Carta 19

Acredito no melhor, e o

Nasci para a abundância!

Enquanto durmo, reprogramo minha mente para a riqueza.

Você pode acreditar que o melhor vai acontecer ou que as coisas serão difíceis. Se acreditar que o melhor vai acontecer, porém você é uma pessoa que vai para o mercado com raiva, volta xingando a sacola. Primeiro que, se vai ao mercado xingando porque tem que ir, vai como se estivesse arrastando correntes, já está fazendo tudo com escassez, com problema de espírito. Não estou falando de pobreza ou de dinheiro, estou falando de espírito.

Se você faz tudo com raiva, faz tudo de qualquer jeito, vai para o serviço, entrega planilha na qual dá vontade de cuspir quando a entrega, de tão malfeita que está, porque não faz direito, não faz com capricho (o capricho é sem dúvida nenhuma o pai da prosperidade, como diz meu querido amigo Bruno Gimenes), então precisa entender que, se quiser prosperar e avançar na vida, seus pensamentos têm de estar voltados para a riqueza, para o bem, o capricho, as coisas boas. Senão, vai ficar sempre patinando na escassez, ali nessa vida de ruindade, de pobreza.

Um tio meu tinha dinheiro, e sabe o que ele fazia? Juntava todos os pedacinhos de sabonete para fazer um só! Falávamos: "que nojo, joga fora!". Digo-lhe também: "jogue fora essa caneca que quebrou, que trincou um pedacinho. Jogue fora esse pano de prato com buraco, parece que foi para a guerra, pare de ficar guardando coisas velhas e estragadas!

Volte os olhos para a riqueza, para as coisas boas, para o capricho".

A riqueza é tudo que as pessoas ricas conhecem; não existe outra possibilidade para elas, não existem duas mentes. Acreditar que só existe escassez faz com que você fique nela; agora, se olhar só para riqueza, prosperidade, para as coisas boas, para o bonito, você também vai ficar nela. Se só conheço isso, só consigo ficar no belo. Se consigo focar no bonito, só consigo focar no bom.

A casa pode ser mais simples, mas, se você coloca um vaso com flores na sala, muda o ambiente. Você pode ter a menor casa da rua, mas, se ela está bem pintada, com flores na frente, com a calçada caprichada, se você tira o lixo da frente, tem a melhor casa da rua. Faça o seu melhor. Você pode ter arroz e feijão, mas faça-os bem temperados, com amor, para ter perfume, para ter vida, para as pessoas que irão comer se sentirem bem. Porque colocando capricho, você está colocando amor.

A partir de agora, pensamento positivo.
As pessoas vão chegar para ajudá-lo, gente ruim já vai começar a sair da sua vida.

Carta 20

Eu me amo e me respeito.

Eu me sinto muito bem comigo mesmo.

Eu me amo tão profundamente que agora durmo em paz e confiante.

Vou dar três dicas importantes para ajudá-lo ainda mais!

1. Pare com todas as críticas.

Crítica nunca muda nada. Recuse-se a criticar a si mesmo. Aceite-se exatamente como você é. Todo mundo muda. Quando você se critica, suas mudanças são negativas. Quando se aprova, suas mudanças são positivas.

2. Perdoe a si mesmo.

Deixe o passado ir. Diga sempre que o passado o ensinou, mas você não está mais lá. Você fez o melhor que pôde na época, com a compreensão, a consciência e o conhecimento que tinha. Agora está crescendo, mudando e viverá a vida de maneira diferente.

3. Seja gentil com sua mente.

Se você odeia seus pensamentos, mude-os. Crie novos. Não se odeie por ter os pensamentos. Gentilmente mude-os para outros mais positivos e que vão ajudá-lo, não aqueles que o colocam para baixo.

Carta 21

Sou amado
e respeitado por mim!
 MEU SONO *é precioso*
e me entrego ao
descanso.

Entregue-se ao descanso e saiba que está tudo bem.

Agora você não precisa resolver nada. Você fez o seu melhor hoje, e sei que amanhã fará ainda mais.

Ame-se e pare de se julgar tanto. Toda vez que se cobra ou acha que não foi bom o suficiente, você está deixando de crescer. Sim, você pode aprender melhor com as situações e não achar que tudo precisava "ser melhor".

Lembre-se de que sua mente é como se fosse um jardim. No começo, um jardim é só um terreno com terra suja e malcuidada, às vezes cheio de mato jogado do desprezo. Quando removemos todo o lixo, a terra está pronta para receber sementes. Se plantamos mudas e sementes, a terra recebe com amor. No começo até parece que nada progride, mas depois de um tempo começamos a ver resultado. Nossa mente é igual.

No começo parece que nada flui, mas, se insistir nos pensamentos positivos, que são sementes lançadas todos os dias na nossa mente, você começará a ver os resultados.

Carta 22

Durmo em paz e, ao acordar, faço deste mundo **um lugar melhor!**

Eu posso, pois reconheço em mim um **poder divino.**

Não adianta passar o dia dizendo que a guerra precisa acabar, que as pessoas precisam melhorar, se por dentro você não está em paz. Para fazer um mundo melhor, preciso que o meu mundo interior seja melhor.

Gandhi dizia: "Temos de nos tornar a mudança que queremos ver".

Você briga o dia todo, faz fofoca, fala mal dos outros, coloca defeito em tudo e em todos que encontra e, sempre que pode, diz que o mundo precisa mudar.

Levanta da mesa e não tira a caneca em que tomou café, não lava os pratos do almoço que alguém gentilmente fez para você, mas, sempre que pode, diz: "o mundo precisa mudar". Precisamos mudar nosso mundo interno primeiro.

A guerra no mundo não é maior que a guerra interna que milhares de pessoas vivem diariamente.

Por isso, hoje e só por hoje, seja a mudança que quer no mundo.

Um pequeno hábito mais positivo já vai ser melhor. Sua vida muda quando você muda.

Carta 23

Tenho calma e 🖤 *vibro no amor.* 🖤
Minha vibração é de
paz e serenidade.
Durmo bem e
acordo na minha
melhor versão.

Se quisermos superar nossos medos, precisamos então confiar. A vida é boa, ela não castiga nem cria armadilhas. Quando você confia, sobe um degrau na sua fé. Traz para si a confiança. Torna sua vida mais atraente. Quem desconfia traz à vida sempre o medo presente.

Quem confia traz para seu lado uma porção grande de fé. Gandhi dizia: "De modo suave, você pode sacudir o mundo".

Acredito muito nisso e gostaria que você refletisse sobre esse ponto.

Confie mais no seu poder interior, que está intimamente ligado com a força do Universo. Verá que, quanto mais você se amar e quanto mais confiar, a VIDA vai estar do seu lado de maneira incrível. Porém, isso não significa que pode simplesmente deixar de fazer suas obrigações e começar a só "confiar" que o Universo fará sua parte. Não. Você precisa de um movimento. Mesmo que nesse momento não possa controlar tudo fisicamente como gostaria, pode agora ser mais confiante e tornar sua vida mais fácil.

Lembre-se que os pensamentos de agora é que criam o futuro. O futuro que você deseja é criado agora. Cuide disso. Tenha calma e vibre no amor.

Carta 24

Sei que a vida é *um eco*, por isso envio **amor, luz e tranquilidade**. *Durmo envolvido* em uma **energia boa de prosperidade**.

Adoro a frase atribuída a Buda e que pra mim faz muito sentido. **"A vida é um eco. Se você não está gostando do que está recebendo, observe o que está emitindo."**

Ela faz todo o sentido se comparada com a carta que tiramos hoje antes de dormir. Reflita por um instante sobre o que precisa ser mudado. Você está emitindo constantemente essas ondas eletromagnéticas, e o Universo responde a esses impulsos. Acredite mais que todas as mudanças de vida perante você são positivas, e virá mais coisa positiva para você.

Perdoe mais e sinta que a vida irá limpar tantos outros sentimentos negativos que vêm junto.

Cada sentimento tem fome dele mesmo, então, quando se nutre o medo, mais medo vem.

Não existem problemas grandes ou pequenos, existem desafios que serão vencidos com toda a força do mundo.

Essa força está em você. Por isso, reveja os pensamentos e os sentimentos que você envia ao Universo. Mude o que manda e receberá coisas novas e diferentes.

Carta 25

Sou saudável
E MINHAS CÉLULAS SE RENOVAM
durante o sono.
Sou confiante e **estou em paz** comigo.

Você sabia como é incrível isso?

Enquanto você dorme hoje, seu corpo todo se renova. Amanhã será um novo dia, com mais disposição e confiança.

Por isso, esteja disposto a vencer onde se encontra hoje.

Não espere o melhor chegar para se dar 100%. Seja sua melhor versão hoje e sempre. O novo chega para quem está pronto para receber e se encaixar nele.

Se você se mantiver sempre esperando o "melhor" chegar para então ser melhor, nada mudará para você.

Esteja disposto a começar agora a ser a pessoa nova que precisa ser para a vida nova que deseja. Nada além disso.

Não existe segredo nem fórmulas mágicas, existe você em constante evolução se dando o melhor sempre.

Carta 26

Termino tudo aquilo que começo!

Vou até o fim porque cuido dos meus objetivos.

Sou grato pela oportunidade de abrir os olhos em cada manhã.

Se você está na escassez, é porque não convenceu seu subconsciente de que pode ter muito.

Se dirige um carrão, foi você quem criou, o carro o veste, você se sente bem dentro dele. Isso é um download importante – não são mais fichas que caem, fazemos downloads, e com isso você tem a chance agora de reprogramar sua mente.

Não importa o que você fez até aqui, importa o que quer fazer daqui para a frente.

Se quer fazer diferente, precisa começar a pensar diferente, vibrar diferente, reprogramar sua assinatura energética.

Você faz escolhas, e, se escolhe adiar a prosperidade, sua mudança de vida, tudo são escolhas, e está tudo bem.

Mudei a minha vida, prosperei, me tornei o primeiro milionário da família e estou mostrando como fiz, e você diz assim: "está tudo bem, é uma escolha sua, é um jeito seu".

Você pode continuar com seu método de vida e tendo os mesmos resultados de sempre ou pode tentar um novo método e ter um resultado diferente. Se nada funcionar, você volta e pega tudo que já era seu.

Ninguém quer sua vida, é você que a tem, é sua, é única, e todo ser humano é único. Sua alma é única, seu corpo é único, seu jeito, tudo que o constitui como ser humano. Não existe ninguém no mundo como você.

Veja sua impressão digital, seu cheiro, seu lóbulo da orelha, a íris dos seus olhos, seu tom de pele; não existe ninguém que pode imitar sua voz, você é único.

Deus fez cada pessoa neste planeta um ser humano único, deu uma coisa muito linda para nós, chamada livre-arbítrio.

Você pode arbitrar a seu favor ou contra você, fazendo escolhas positivas, aprendendo, trazendo novidades, trazendo conhecimento, trazendo prosperidade, gerando emprego, sendo empreendedor, abrindo caminhos para outras pessoas virem atrás e construindo a vida delas também – é disso que o mundo precisa.

Sempre uso para minha vida uma coisa que diz assim: "Deus é criador e eu sou o cocriador, porque, se ele me deu o livre-arbítrio, posso recriar minha história quantas vezes quiser, posso mudar, encerrar um ciclo". Isso é o mais bonito do ser humano: é recomeçar, e recomeçar significa morrer e nascer ao mesmo tempo.

É quando algo não está bom, não me serve mais, como uma roupa velha que não me cabe e deixo para trás, recomeçando de onde estou para uma história nova.

Quando você renasce, o Universo inteiro o aplaude.

Quando você vai para a frente, isso não é para qualquer um, é para quem tem coragem!

Mas se ficar no miolinho da família, for aquela pessoa que só reclama, fica no limbo, vendo aqueles que prosperaram.

A escolha é sua.

Você muda o seu pensamento, que automaticamente altera a sua vibração, a sua essência; a mudança principal vem de você.

Agora quero que respire fundo, porque vamos nos aprofundar nos tipos de padrões mentais e em como podemos afastar aqueles que não nos levam à frente!

Carta 27

Agradeço!
Agradeço!
Agradeço!

Sou melhor **hoje e sempre!**

Agradeça e tenha sempre consciência de que nosso pensamento é dividido em duas instâncias, consciente e inconsciente.

A Lei da Atração diz que todos os pensamentos, tanto conscientes quanto inconscientes, ditam a realidade da vida. Agora vamos nos aprofundar no que é o consciente e no que é o subconsciente. Imagine o seguinte: existe um lago; o que está fora do lago é o que podemos ver, que é consciente, e o que está submerso, que não vemos de primeira, é o subconsciente, mas não é porque está submerso que não existe, e não é porque está abaixo da superfície que ninguém tem acesso.

Temos, sim. Podemos usar alguns recursos para chegar lá. Isso que estou fazendo agora com você, por exemplo, é fazê-lo olhar para si, olhar para o seu pensamento e fazer as coisas funcionarem. Nesse momento, então, não é que você não tem acesso ao seu subconsciente; tem, sim, e está pensando nele neste momento, ele está aí o tempo todo. Você não consegue ver se não prestar atenção. Se vestir a roupa de nadador, colocar uma máscara de oxigênio e vasculhar lá embaixo, vai ver que existem muitas coisas no seu subconsciente.

A mente é 5% consciente e 95% subconsciente. Aquilo de que você não faz ideia sobre você, que é onde estão as crenças, o que seu pai falava, o que sua mãe falava, a forma como eles lidavam com dinheiro, com relacionamento. Somos animais racionais, os únicos animais do mundo que pensam sobre o próprio pensamento.

Agora, estamos analisando nosso pensamento, nossa vibração, a maneira como você vai para a vida. Não sei se meu gato está pensando sobre o pensamento dele, mas estou fazendo você pensar sobre o seu, e é justamente essa nossa capacidade de pensar sobre o pensamento que vai nos permitir usar essa racionalidade para corrigir uma rota inteira. Se mudo uma rota de escassez, de pobreza e de falta, vou ter que organizar essa rota; se mudamos o que pensamos, mudamos o sentimento, a vibração, nossa assinatura energética.

Imagine que, em volta de você, do seu corpo, existe uma assinatura energética formada por meio da sua vibração. Isso tudo começa no pensamento, então, quando eu penso, vibro e produzo uma assinatura energética. E ao que ela está se conectando?

É mais de gratidão ou de reclamação?

Quando você quer um namorado de tal jeito e aparece um homem tranqueira, você termina a relação; e quando encontra mais um namorado, é outro homem tranqueira – ou seja, acontece a mesma coisa.

Muitas pessoas têm relacionamentos parecidos, e as coisas são sempre iguais, porque a assinatura energética está ruim, e é o que atrai esse tipo de pessoa para a vida dela.

Não é o homem que não presta, é você que está atraindo homem que não presta.

Esse foi só um exemplo, mas, se você é um empresário e diz: "funcionário só dá problema", atrai funcionário que dá problema – até aquele que nunca deu problema passa a dar.

Você está construindo essa realidade. Esses padrões são repetidos inconscientemente muitas vezes.

É importante que você entenda que o inconsciente faz parte de você e também dita suas ações.

Então, ainda que você não fique nutrindo conscientemente, se não mergulha na raiz das suas crenças, elas energizam toda a sua vida – e sua vibração depende dessa esfera também.

Os pensamentos inconscientes são mais profundos porque foram herdados e estão guardados em nós por muitos anos.

Às vezes, são gerações que tinham a mesma crença, e toda uma família permanece na mesma linha, sem nenhuma evolução.

Quem toma consciência disso é quem consegue quebrar esse padrão mental de falta e escassez.

Agradeça por tudo o que tem! Durma bem!

Carta 28

Estou em paz! **E quando durmo,** permito que toda a minha **energia se renove!**

Existe um mistério que nos liga a todas as coisas. Enquanto você reflete, sua energia já vai se renovando.

Veja, a vida é como um eco. Se está gostando do que está vindo de volta para você, tudo bem, mas, se não está gostando do que tem voltado, analise o que está emitindo.

A prosperidade, por exemplo, é um método de vida, é como você pensa, como você é e se comporta. Atente-se a esta pergunta: que roupa você usa quando vai realizar seu sonho? Imagine que hoje você vai realizar o seu sonho; qual é a roupa que vai colocar? Qual energia carrega quando vai assinar aquele contrato de trabalho abençoado pelo qual você esperava havia um tempão? No dia em que vai pegar a chave do seu apartamento ou que vai entrar no seu carro zero pela primeira vez, como estará nessas situações?

Mentalize como essa energia deve ser de felicidade: deve ser de alegria, de realização e de gratidão, afinal você está indo pegar a chave do apartamento que comprou! E, ao entrar pela primeira vez, a roupa energética que deve usar é a da vitória, o que você sente ao realizar seu sonho.

Vestimos uma roupa energética, ela é a nossa vibração. O que está em torno de nós é como se fosse uma roupa, só que essa roupa mostra como você está se comportando na vida. Perceba que, quando digo roupa energética, me refiro ao seu comportamento.

Alguma vez você já ouviu falar de pessoas extremamente ricas que perderam tudo ou até de pessoas com muita facilidade para ganhar dinheiro, mas que sempre perdem tudo, porque acontece alguma coisa, algum imprevisto. Já se perguntou por que isso ocorre?

Tenho uma explicação muito simples para isso, e está na mente. Por mais que essas pessoas se tornem ricas e bem-sucedidas, existe uma coisa muito pesada na alma delas chamada medo.

Você já sentiu medo? Com certeza já sentiu, por exemplo, ao chegar bem pertinho de uma janela ou de um parapeito em um lugar alto, e quando olhou lá para baixo sentiu medo de cair; já ficou com um frio na barriga ao encontrar alguém pela primeira vez, e isso gerou medo de não ser aceito, ou de a pessoa não gostar de você.

Então, as pessoas que são extremamente ricas e de repente perdem tudo é porque um sentimento chamado medo – e com ele pensamentos de falta e de escassez – fez com que entrassem na vibração da falta e da escassez. Esses pensamentos são: "se alguém me roubar, se alguém me enganar"...

Isso vai aumentando até chegar à frequência do desprezo, que, ao contrário da gratidão, só tira as coisas de você.

A gratidão é quando reconhecemos as coisas boas que nos acontecem, mas, quando não olhamos para as coisas boas, é muito comum entrar na frequência do desprezo.

A frequência do desprezo é, depois de possuir tantas coisas, não olhar para elas e não se reconhecer, ou seja, você despreza o que tem e começa a pedir o que não tem.

Nesse momento entra uma energia negativa, porque ela foi atraída no momento em que você olhou mais para o que não tem do que para o que tem. Isso já aconteceu comigo.

Muitas coisas que perdi foi porque olhei mais para o que eu não tinha do que para o que tinha, e assim se fortalecem crenças de escassez, mais do que de abundância.

Isso aconteceu porque acreditei mais nos outros do que em mim, olhei mais para o que os outros falavam do que para o que minha alma dizia, e é nesse momento que muitas pessoas perdem tudo.

Isso acontece não porque essas pessoas deixam esse pensamento invadir a mente delas; elas não deixam, simplesmente não sabem como evitar.

Carta 29

Estou relaxando
MEU CORPO
e me sentindo mais seguro!

> Mantenho na minha mente somente bons pensamentos.

Todas as coisas que nós, seres humanos, criamos neste planeta foram essencialmente criadas primeiro nas nossas mentes.

Tudo o que você vê que é trabalho humano primeiro ganhou expressão na mente e depois se manifestou no mundo exterior. As coisas mais maravilhosas que temos feito neste planeta e as mais horríveis que temos feito, ambas vieram da mente humana.

Portanto, se estamos preocupados com o que criamos no mundo, é extremamente importante, em primeiro lugar, aprender a criar as coisas certas na mente. Temos o poder de criar tudo da maneira que queremos, e o que criamos no mundo também vai ser muito organizado primeiro a partir de um processo cognitivo. Se você faz alguma coisa na vida sem planejamento, há muito mais chances de dar errado. Por exemplo, você sai de casa para o aeroporto e compra uma passagem, chega ao destino e não encontra um hotel; fica então sem saber para onde vai, não sabe o que fazer. Existem muito mais chances de uma viagem dar errado e lhe trazer problemas se não houver planejamento. Você decide fazer uma festa de casamento em uma semana, conta que vai dar conta de ordenar tudo na correria, sem ter se planejado para nada: seu casamento tem uma chance muito grande de dar errado. Então, quando planejamos uma coisa, ela tem que ser organizada, porque passamos a pensar naquilo. Há aqueles que dizem: o mais gostoso de uma festa é planejar, porque a gente cria uma festa dentro da cabeça, fica imaginando quem vem, que roupa vai usar, que música vai tocar, a comida que vai ser servida! Você visualiza essa festa mentalmente, e quando chegar o dia você aproveita muito mais! Na vida é exatamente assim: você pensa em tudo aquilo que quer, deseja, se alinha, se harmoniza com essa energia, para depois de um belo tempo poder vivenciar aquela realidade.

Esse belo tempo pode ser um mês, dois meses, ou pode ser um ano ou dois. Tudo vai depender do poder do pensamento, da sua vibração e do quanto você se dedica a isso. Assim, não adianta nada criar uma situação de prosperidade ou de abundância dentro da cabeça e, no dia a dia, nos hábitos, nas atitudes, nas situações, ser uma pessoa pobre de espírito, de escassez, maltratar os outros, falar mal de todo mundo. Não dá certo. Então, atente-se às suas ações; quando entrega algo malfeito, isso está dizendo quem você é. Olhe que interessante: tudo o que você faz diz muito sobre você. Se lavar louça porcamente, a louça diz muito sobre quem você é; se varrer a casa e fizer sem tirar as coisas do meio, sem levantar a cadeira, ou seja, se fizer uma coisa malfeita, saiba que está fazendo algo que diz muito sobre quem você é. Se fizer um relatório de qualquer jeito, sem pesquisar, sem formatação, aquilo está dizendo muito sobre quem você é. Então, imagine agora em nível universal. O Universo está o tempo todo lendo essas mensagens, lendo a maneira como você encara o mundo. Lembre como você se põe no mundo. A Lei da Atração diz que tudo aquilo que pensamos e sentimos cria nossa realidade. Se faço as coisas mal, vou ter coisas malfeitas. A vida vai ficar malfeita para mim, tudo vai ficar uma gambiarra.

Você pode ser o tipo de pessoa que fica remendando as coisas com fita isolante, de qualquer jeito, tapando o sol com a peneira, dizendo que a situação está ruim, que está difícil.

Isso não me interessa.

Não me interessa como está a situação na sua casa; a realidade que você está vivendo agora foi você quem criou, é você quem está vivendo essa realidade, não sou eu – aliás, você está vivendo essa realidade que você construiu por meio do poder da sua mente, das suas atitudes, e não tenho dó de você!

Não estou aqui querendo agradar, deixando-o ficar no coitadismo. Para mim, isso não funciona, porque sei o poder da sua mente.

E por mais que você diga para si mesmo: "a minha vida está difícil", no final das contas você quer chamar a atenção porque é carente. Se estiver bem na vida, os outros não o enxergam, então precisa estar doente, porque isso faz com que as pessoas o vejam.

Quando a criança tem febre, o que acontece? Os pais ficam em cima, dão toda a atenção, e olha que delícia é ficar doente: você fica em casa, a mãe traz roupa na cama, sopa, você fica o dia inteiro na cama, não sai para nada. Recebe um afeto excepcional nessas situações.

Quando sua mãe ou seu pai colocavam a mão no seu rosto para saber se você estava com febre, era como se fosse um gesto de carinho – e eles nunca faziam isso, sua mãe nem olhava na sua cara, mas, quando você ficava doente, ela fazia de tudo por você, lhe dava atenção.

Percebe o que está acontecendo? Você acreditou desde a infância que tem de estar ferrado, vem construindo isso desde criança, e não sabe nem de onde vem.

Chega!

Hoje você é adulto, ninguém tem de ficar passando a mãozinha na sua cabeça, você já cresceu.

Quer prosperar ou quer ficar aí do jeito que está? Jesus mesmo dizia: "levanta e anda".

Ele perguntava se a pessoa tinha fé, porque, se você tem a fé do tamanho de um grão de mostarda, vai conseguir fazer as coisas – sua fé move montanhas.

Ele não carregou a cama para o paralítico, ele perguntou se ele tinha fé, foi feito um milagre, e o paralítico saiu carregando a cama dele.

Você está acostumado a ficar no coitadismo de os outros olharem-no dizendo o tempo todo que está tudo muito difícil, porque, quando você diz isso, quer que alguém passe a mão na sua cabeça e lhe diga que é coitadinho, quer que alguém faça carinho no seu rosto para saber se você está com febre, se está tudo bem.

Você está sentado no banco do bundão, do pamonhão, e, nesse banco de madeira podre que vai arrebentar a qualquer momento, para onde você vai? Vai cair com a bunda no chão! Você já está aí há muito tempo no banco do coitado.

Essa é realidade que a Lei da Atração está lendo, e ela lhe manda mais situações.

Já notou que até o seu celular ruinzinho ainda lhe roubam?

E como você reclamou desse celular ruinzinho!

> *Mantenha a mente positiva, relaxe, mas esteja atento a tudo pelo que tem agradecido,* sabendo que a vida é um eco, enviando-lhe de volta o que você emite.

Fez essa reflexão? Então relaxe e durma bem agora!

Carta 30

Vivo Plenamente o Presente!

Agora é meu momento de dormir e **me entrego ao sono bom.**

Eu me amo e está tudo bem!

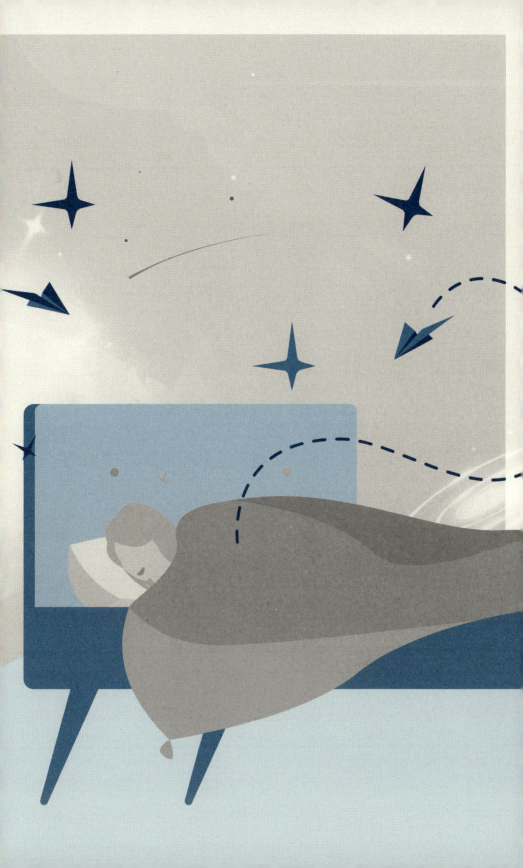

Não fico esperando o melhor me acontecer, me coloco no melhor. Estou no melhor, fui para o melhor e cansei de andar em carro velho, cansei de morar em casa com a parede sem reboco e mofada, o teto caindo na cabeça.

Sua vida está nas suas mãos. Estou falando para mexer com você mesmo, preste atenção, que isso aqui é para quem tem coragem: não é para qualquer pessoa, tem gente que escuta, não gosta e cai fora, sabe por quê? Porque não é o momento dela, não é o momento de ela aprender. Quero aqui comigo pessoas que desejam mudar de vida, porque meu maior objetivo é fazer o maior número possível de pessoas ricas, prósperas e abundantes, abençoadas, e despertá-las.

Se este não é o seu momento, respeito, você pode fazer suas escolhas. Pode ser que, daqui a alguns anos, você volte, leia este livro e pense: não tinha entendido isso, mas agora faz todo o sentido, por que não te conheci antes? É porque existe o momento certo. Você só se conectou a mim porque chegou o seu momento de prosperar. Há coisas que estou falando aqui para você e outras pessoas podem ter lhe falado e você não ter ouvido, porque, quando a gente não tem a mente desperta, não ouve, só escuta. Não presta atenção, não faz o processo cognitivo sobre o negócio que precisa aprender.

É preciso aprender com profundidade o que está sendo dito. Faça a sua felicidade meu maior objetivo, dê-se o melhor, coloque-se no melhor.

Se você muda sua vibração, seus pensamentos, emite uma frequência diferente para o Universo. É exatamente assim que funciona a Lei da Atração: ela é um espelho e está refletindo exatamente aquilo que você é. Tem gente que vive no coitadismo, que ninguém ajuda, que está ferrada. Sempre que alguém diz que está ferrado, é como ele pensa, trata as pessoas e as situações, como trata seus funcionários, como trata o garçom...

Você está disposto a aprender coisas novas todos os dias? Então, observe a vida. Ela ensina muito.

Carta 31

Meu tempo de sono
é precioso,
pensamento negativo
não tem espaço
dentro de mim.
Vibro e me envolvo no
AMOR E NA POSITIVIDADE.

Uma emissora de rádio tem um número que a gente chama de frequência.

Cada uma tem seu número – por exemplo, 99.1, 81.3, 106.2, 96.9. Cada rádio tem uma frequência, e é essa frequência que faz com que você receba um tipo de informação.

Se sintonizar na emissora X, você quer ouvir William Sanches – repare na palavra "sintonizar".

É assim que funciona, é assim que você recebe a informação.

A partir disso, é você quem escolhe se quer ouvir rock, sertanejo ou MPB, então procura a rádio que toque aquele tipo de música que quer ouvir. Até se quiser ouvir fofoca tem uma emissora que vai trazer fofoca, notícias da novela e tudo mais.

O mais importante é que você precisa sintonizar a frequência para receber o conteúdo certo.

Com um livro é a mesma coisa: você vai procurar pelo tema – romance, ficção, científico, desenvolvimento pessoal.

Fazendo analogia com o rádio, você vai sintonizar com aquilo que está buscando, como quando chegou até aqui. Usei esses exemplos para explicar que é assim que funciona a Lei da Atração: seus pensamentos emitem uma frequência para o Universo, e o Universo entende aquilo que você emite.

Cada um de nós é como se fosse uma emissora de rádio, cada um de nós emite uma frequência vibracional. Chamamos de frequência vibracional porque vibramos.

Vamos imaginar quem tem muito pensamento negativo de doença.

A frequência vibracional emite apenas ondas magnéticas sobre doença: onde ela encosta alguém fala de doença, as pessoas leem a bula do remédio para ela, alguém indica um médico. Isso é ela quem está fazendo, porque a frequência está sempre na doença, e não na cura. Esse pode ser seu desafio.

Talvez o desafio que você esteja enfrentando agora seja de doença, mas você tem de voltar a mente para a cura, não só para a doença.

Quanto mais você fala da doença, mais dá atenção a ela, mais coloca foco nela, mais ela se amplia, mais ela cresce, mais lhe dá trabalho.

Sei o quanto é difícil, porque é treino, e você está descobrindo agora.

Você deve pensar: "estou descobrindo minha vida".

Vá com calma, precisamos reprogramar nossa essência, reprogramar nossa sintonia, porque, se alguém muda a vida, é porque mudou os pensamentos – então, a pessoa emite uma frequência diferente para o Universo.

O Universo naturalmente transmite as imagens dessa nova frequência, por mais impossível que a situação possa parecer.

Se você vibra na mudança, na riqueza, na gratidão, automaticamente o Universo vai lhe enviar isso também...

> *Se ele vier, saiba que é só um pensamento, e pensamento pode ser mudado.*
> Mantenha-se sempre firme sabendo que pensamento negativo não tem espaço dentro de você.

Carta 32

As boas oportunidades estão **sempre vindo na minha direção.**

Reconheço e as aproveito

na **minha vida!**

As boas oportunidades estão vindo na sua direção, mas uma coisa muito importante que quero que você entenda é que não é com um estalar de dedo, não é assim.

É igual às pessoas que passaram uma vida comendo errado, sem fazer exercícios, e depois querem a receita da dieta da lua, porque desejam perder peso. Fazem a dieta da lua, mas não seguem nada, não emagrecem coisa nenhuma e depois ainda reclamam! Pare! Você tem de reprogramar a mente, organizar os alimentos e comer menos, porque, quando tira tudo de uma vez, fica morrendo de vontade, e é muito mais difícil emagrecer. Veja, você passa uma enorme vontade de comer um chocolate, e quando tem a oportunidade come a minha caixa inteira e engorda de novo, fica aquela sanfona.

Percebe qual é o grande segredo? É ir aos poucos, é a ação, mas a ação de se manter firme no seu propósito. A pessoa que passou cinquenta anos tomando café com açúcar de repente quer tomar café sem açúcar; toma um dia ou até dois, e depois não suporta mais, já quer começar a tomar café com açúcar de novo. Esta é uma dica fundamental: vá aos poucos, diminuindo pouco a pouco. Uma hora você reeduca o paladar, reeduca o corpo, o cérebro, até o ponto em que, se alguém colocar açúcar no café, você não quer beber, pois já não reconhece mais aquele paladar do café; agora você quer o café puro e sem açúcar.

Assim é para tudo quando você muda seu pensamento. Quando cria um pensamento novo, você emite uma frequência diferente para o Universo, e nesse Universo que nos cerca todas as leis universais naturais atuam. Uma delas é a Lei da Atração, que diz que tudo aquilo que você tem como pensamento governante passa a ser sua realidade; tudo aquilo que você pensa vem para suas mãos.

Para mim, é muito rápido hoje, porque, como já treinei muito a mente, se digo que quero um carro X, surge uma oportunidade para comprar o carro; se quero aquele apartamento naquela rua, aparece, ou uma oportunidade de negócio; às vezes não tenho nem o dinheiro, mas escuto assim: "paga como puder, porque o que quero mesmo é vender, estou precisando ir para outro país, pode me pagar um pouco por mês". O apartamento que eu queria veio para a minha mão. Se você se preocupa muito com recurso e não presta atenção na mente, não aciona a frequência para as coisas virem ao seu encontro.

Sua vida está nas suas mãos, e não importa onde você esteja agora, não importa o que tenha acontecido, quantos anos tenha ou onde tenha morado a vida inteira, você pode começar agora a escolher conscientemente nos pensamentos. O pensamento consciente é aquele que, por exemplo, se penso ou falo, consigo visualizar que estou pensando assim, consigo me corrigir ali na hora: por que estou falando desse jeito? Por que acho que não vai dar certo? Então faça o contrário: você quer dizer por que não daria? Por que não é para mim? Por que não posso morar ali? Por que não posso receber aquele salário? Por que não posso ocupar aquele cargo, que combina muito comigo? Assim você vai se preparando para isso, começa a estudar, a se organizar, e, se você começou a se preparar, as coisas vêm com facilidade, alegria e glória – e você pode mudar sua vida. Não existe problema sem solução. Você pode mudar toda e qualquer circunstância da vida. Quando escrevi este livro, escrevi sem saber como é sua vida – mas você a conhece. Sei que isso é muito forte, que é para você poder trabalhar: quando digo que a sua vida está nas suas mãos, isso o tranquiliza ou assusta?

Se isso o assusta, significa que você estava confiando que Deus iria lhe trazer todas as coisas como uma força divina e tudo apareceria como um passe de mágica. Você encontraria um baú cheio de ouro e então passaria a mudar sua vida.

Pare de ficar pedindo as coisas para Deus, porque ele já lhe deu tudo. Deus não faz por nós, Deus faz por meio de nós. Por isso, é preciso abrir a cabeça, pensar diferente, entender como a Lei da Atração funciona.

Se quer receber propostas criativas, propostas rentáveis, se quer ter ideias rentáveis, é preciso abrir a cabeça.

Carta 33

Minha saúde mental atrai só **coisas boas** para mim e

eu amo cada cantinho do meu corpo.

Deixe este livro repousando por um instante em cima de alguma coisa e, com as mãos livres, respire fundo e repita dez vezes o que a carta lhe trouxe hoje!

Sinta cada palavra, o ensinamento está nas entrelinhas!

Carta 34

Cada espaço de tempo entre meu sono é precioso.

> Enquanto descanso, meu corpo e minha mente se renovam.

Acordo disposto e bem-humorado.

A vida é feita para dar certo. Se não está dando certo na sua vida, é porque seu pensamento governante é de problema.

Imagine se o seu pensamento governante em relação a dinheiro for uma crença limitante: dinheiro é sujo, dinheiro não traz felicidade, dinheiro é difícil de ganhar, nem ouvir sobre dinheiro você quer!

Essa é a realidade em que você está acreditando. Quando acredita naquela realidade, é como se você construísse um círculo em sua volta.

Penso, acredito, trago essa realidade para minha vida, crio crenças sobre ela, e vem então o resultado. E como o resultado também é negativo, é só nisso que acredito, é isso que estou vendo. Estou vendo o que está dando errado.

Então, você pensa que tudo está dando errado mesmo, que o dinheiro não vem para você mesmo, porque você é pobre, a família é pobre, ou seja, reforça-se o pensamento governante.

Olhe o que sua mente começa a formar: meu dinheiro não rende, o dinheiro que tenho não dá pra nada; quando você pensa, sente, é isso que passa a vibrar – isso é física quântica! Suas moléculas se alteram, você literalmente vibra naquilo! E vibrando naquilo, amplia aquela realidade. O

Universo não escuta o que você pensa, ele sente o que você vibra.

Nosso pensamento é a raiz. O resultado é o fruto da árvore.
Mas, se quero mudar o fruto que estou recebendo hoje, preciso mexer lá na raiz, ou seja, no pensamento.

Você precisa analisar quais são os pensamentos governantes que você tem atualmente.

Vou trazer mais um exemplo para ajudá-lo a entender melhor, vou falar sobre um pensamento governante positivo. Pegue qualquer pensamento negativo que você tenha.

Por exemplo, "vou ser demitido porque a empresa está em crise".

Você então começa a falar para seus colegas, começa a convencer sua esposa quando chega em casa, e todos ficam preocupados – sua esposa, os filhos.

Sua energia fica ruim, porque você já está criando essa demissão.

Quando ela acontece, você diz: "eu já sabia!". É claro que sabia que daria errado.

Foi a realidade que você construiu antes mesmo de ela existir.

Quando vê os resultados dessa realidade, você acredita que essa é a verdade.

Mas lhe pergunto: por que alguns saíram e outros ficaram na empresa?

Vou dar uma dica agora: se você tem um pensamento de prosperidade, um pensamento governante de alegria, de saúde, de abundância, está nutrindo o poder do pensamento próspero em tempos de crise, em tempos de dificuldade.

O que precisamos entender é que criamos uma casca grossa, estamos prontos para aquilo, e isso nos amadurece.

Carta 35

A abundância entra
na minha vida de maneiras
surpreendentes e milagrosas!
Há infinitas possibilidades de
felicidade me esperando.
Sou cura
e renovação!

Saiba que, onde quer que se encontre agora, foi seu pensamento que o trouxe aqui!

As pessoas à nossa volta apenas refletem aquilo que acreditamos merecer.

Os pensamentos podem ser alterados, e as situações, também.

Os canais de possibilidade e oportunidade que se abrem para nós são ilimitados.

Essa situação que está vivendo hoje é apenas uma entre as infinitas possibilidades que o Universo disponibiliza para você.

Carta 36

Tenho prazer em cuidar do **meu corpo**, da minha energia e do meu espírito.

Está tudo bem no meu mundo.

Às vezes a gente tem tanta preocupação em agradar as outras pessoas que deixa de tomar as próprias atitudes.

Você acha que ajuda ou atrapalha a sua coragem, suas decisões, sua prosperidade?

O que mais atrapalha a vida do ser humano é ele achar que tem de agradar todo mundo. Minha vida só foi para a frente quando parei de agradar todo mundo, então, pare de querer agradar a todos!

Anote isso no papel, ponha na mesa, na geladeira, para que sempre se lembre: pare de agradar todo mundo! Se o seu nome for Leila, escreva: Leila, pare de agradar todo mundo! Se for Cícero, ou Maria, ou Joana, escreva seu nome, dê-se essa chacoalhada!

Tem gente que vive uma fantasia na vida! Uma fantasia de que só vive para agradar os outros. Tem gente que passa a vida inteira em uma profissão de que não gosta, mas era para agradar aos pais.

Tem gente que não gosta de mulher e está casado com mulher para agradar à família, e aí sai com homem escondido.

Que vida é essa que você está construindo para você?

Carta 37

Amanhã é outra oportunidade *para preencher o meu dia* com positividade, esperança e amor-próprio.

Refletir sobre isso tudo vai ajudá-lo a despertar!

Abra-se para o novo, para ter uma cabeça mais legal – tudo começa na cabeça.

Quando a gente tem uma cabeça legal, as coisas começam a fluir e vêm dez ideias criativas, a criatividade chega.

Coloquei ideias milionárias de dinheiro inesperado na cabeça.

Se você for com os problemas, só vai vir mais problema, lembra?

Pensamento negativo significa que mais disso vai vir para você.

Organize o seu pensamento, **traga um pensamento positivo para o lugar desse que está negativo.**

Fale:

Esse pensamento negativo não tem mais espaço em mim.

Vou para o melhor porque sei que hoje será um bom dia para mim, e tudo que for me acontecer vai acontecer porque é um degrau evolutivo.

Vai me fazer bem! Eu me coloco na vida como aluno, e não como vítima. Tenho certeza de que a força e a confiança estão comigo neste dia abençoado!

Eu me abro para todas as coisas boas que vierem ao meu encontro.

Carta 38

Quando eu acordar, vou abrir meu coração

para todas as coisas boas que **vierem ao meu caminho.**

Você não tem como esperar que coisas boas cheguem para o seu próximo dia se dormir remoendo coisas antigas que foram mal resolvidas.

Se precisar, pegue o celular e envie agora uma mensagem desabafando, pedindo perdão ou simplesmente dizendo como se sentiu mal com determinada situação.

Limpe o terreno para que o jardim possa florir. Permita que a terra esteja limpa para receber uma boa semente.

Hoje é um dia incrível para você retirar ervas daninhas que o estavam sufocando.

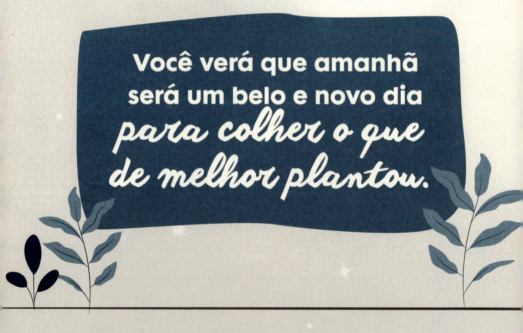

Você verá que amanhã será um belo e novo dia *para colher o que de melhor plantou.*

Carta 39

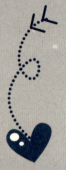

Meu quarto é um santuário para dormir.

Aqui me sinto seguro e bem.

Entrego meu **corpo ao descanso.**

Seu quarto é, sim, um santuário para dormir. Um lugar para relaxar e refletir.

O que importa é que, se você passou pela situação de alguém ter saído da sua vida, por exemplo, ou se você saiu da empresa, se terminou um namoro, ou puxaram seu tapete em algum lugar, ou se está há meses sem trabalho, faça uma oração ou uma meditação do seu jeito, pense naquilo que já passou e repita as frases abaixo. Neste exercício você pode falar o nome da pessoa.

Vamos lá:

Agradeço por tudo que aprendi e pelas nossas experiências juntos, mas a partir de agora corto todo o vínculo energético, porque **sigo a minha vida próspera, abençoada e abundante.**

Depois respire fundo, relaxe e mande esses pensamentos embora. Você agradeceu, soube reconhecer todo o aprendizado juntos e principalmente honrou todos os momentos – mas você não quer mais, e está tudo bem.

Lá na frente, entenderá o recado de que não era mais para essa pessoa estar na sua vida e perceberá que queria insistir, queria tirar satisfação, mas hoje compreende que vocês precisavam se afastar, porque você fez uma limpeza.

Quando fazemos uma limpeza na vida, abrimos espaço para coisas novas virem até nós.

Como você quer que coisas venham para a sua vida – coisas de trabalho, um novo namoro, amizades –, se está com um monte de coisas velhas dentro da cabeça, nos sentimentos, na sua vibração. É preciso limpar. É muito importante limpar as energias velhas. E você sabe como fazer isso?

Orando, mentalizando e agradecendo por tudo o que passou. Se forem roupas, coloque-as em uma caixa e doe ou venda, ou faça um bazar, faça girar a energia. Se foi uma empresa em que você trabalhou, e você está magoado porque saiu, faça uma oração, agradeça ao seu patrão por todo o salário que você recebeu, por tudo o que aprendeu na função.

Quando você agradece à empresa em que trabalhou, está agradecendo e honrando tudo o que recebeu e aprendeu.

Quando fica só olhando para os meses durante os quais está parado – isso que digo é para tudo na vida –, você está com mais atenção na escassez, na falta.

Quando ora agradecendo por tudo por que passou, por tudo de bom que veio para sua vida, tudo de legal que lhe aconteceu, nesse exato momento você está honrando, sendo grato e aumentando a positividade na sua energia, e o Universo vai entender que você valorizava o trabalho que tinha, e um novo trabalho vai chegar.

> **Aproveite seu momento de reflexão** para pensar no que eu disse. *Tem ciclo para encerrar hoje?*

Carta 40

Amanhã acordarei disposto e pronto para **alcançar meus objetivos.**

Amanhã é o início de um novo e *vitorioso ciclo.*

Veja só, há uma coisa que estorva muito o seu avanço!

"Estorva" parece uma palavra antiga, mas não é. Preste atenção a essa reflexão, porque pode fazer um movimento muito grande dentro de você – e você sabe que vou direto ao ponto. Então, vá mexendo aí dentro, vá cutucando, e sempre há uma reflexão, uma coisa ou outra que você tira para você. É claro que às vezes o capítulo não é inteiro para você. Mas uma frase, ou uma palavra, uma coisa que sai, é para você. Você vai ler, vai refletir – se for preciso, leia mais de uma vez. É como se você assistisse a um filme de novo.

Vejo sempre uma coisa diferente, assim como, quando assisto a uma palestra novamente, vejo coisas diferentes. Estou sempre vendo alguma coisa diferente e vou criando, vou fazendo, vou me inventando. O que estorva nosso avanço, o que está atrapalhando, o que está impedindo?

Sabe aquele caminho que estava indo tão legal, que estava fluindo tão legal para você, e de repente acontece uma coisa e o atrapalha? Sempre queremos algo melhor, e isso é do ser humano; sempre desejamos algo melhor do que já temos, e isso é bom! Não estou criticando você, isso é ótimo! Faz a gente ir para a frente, essa é a força motriz do nosso progresso. Isso nos faz avançar, assim como as crianças: elas crescem, e as roupas não servem mais, o sapato fica apertado, precisa de outro. Você deve superar antigos ideais. Se continuar achando que tudo vai servir e que tudo vai ser do mesmo jeito, que a vida vai ser sempre igual, você não cresce, não avança, e isso estorva o seu caminho. Você deve superar antigos ideais, deve alargar seus horizontes de vida à medida que vai avançando.

Você chegou até aqui, conquistou uma coisa, e agora quero que se pergunte: **o que posso fazer? O que posso melhorar?**

Carta 41

Não importa o quão cansado ou sobrecarregado me sinto agora, sei que ao acordar estarei **energicamente bem** e cheio de **ideias criativas.**

Você é usina de ideias criativas
para fazer dinheiro.

Não é ganhar dinheiro, é fazer! Nós fazemos o nosso dinheiro.

Estou aqui trabalhando, fazendo meu dinheiro, escrevi este livro, vendi, porque estou fazendo meu dinheiro. Quando vendo meus cursos, estou fazendo meu dinheiro. Você não está fabricando a sua coxinha, fazendo a massa, fazendo o recheio muito bem-feito? Quando sai e vai vender essa coxinha, está fazendo seu dinheiro! E a gente tem uma mania de falar que está ganhando o dinheiro...

Então, preste atenção ao que estou lhe dizendo: o dinheiro precisa ser seu amigo! Lembre que já falei aqui neste livro que você é o ímã mais poderoso do Universo.

Quero que você possa aprender, que possa refletir.

Até no momento em que você não concorda comigo, é bom, porque o estou fazendo pensar, e está tudo bem! Isso é legal, não tem que concordar com tudo.

Oscar Wilde dizia a seguinte frase:
"Quando todos concordam comigo, tenho sempre a sensação de que estou errado!"

Coloque a mente para trabalhar, isso é reflexão!

Carta 42

Eu me amo e me coloco no melhor. *Ao dormir entrego meu corpo ao descanso embalado de paz.* Nada me atrapalha.

Eu me amo, e está tudo bem!

Já sentiu a força que tem essa afirmação?

Elogie-se mais! Procure ver em você coisas que você admira e gosta! Hoje você vai adquirir um novo hábito. Vou ajudá-lo.

O primeiro passo é fazer uma lista de coisas sobre as quais você sempre se critica.

O segundo é colocar ao lado dessa lista uma data em que você acha que começou com essa crítica.

Certamente você ficará surpreso com o tempo durante o qual vem fazendo tais autocríticas. Veja que esse velho hábito de se criticar não produziu nenhuma mudança positiva, muito pelo contrário. Estava sempre o colocando ainda mais para baixo.

A parte mais importante: **transforme cada uma dessas críticas registradas em uma afirmação positiva sobre você.**

Passe a usá-las toda vez que algo negativo vier à mente.

Carta 43

Em mim basta!
Escolho agora não carregar mais nenhuma mágoa!

Durmo em paz
e sei que meu emocional está sendo renovado

para o melhor que está por vir.

Você termina o dia e, logo quando resolve descansar, os pensamentos começam a inundar sua cabeça de forma tão veloz que você mal consegue se controlar. O passado volta com tudo: situações que lhe fizeram algum mal, ou quando simplesmente o ignoraram em vez de ajudá-lo, quando você mais precisou.

Pronto! A mágoa se torna viva e mais nutrida.

Esse sentimento tem fome dele mesmo. Nutre-se de lembranças e situações que favorecem seu crescimento mais e mais. Os antigos chamam a MÁGOA de "má água". É quando se mantém uma água ruim dentro de si. Sentimentos são cultivados. Se quer acabar com a mágoa, pare de alimentá-la. Pare de dar atenção a tudo de ruim que lhe aconteceu, pare de contar aos outros sua versão esperando piedade. Chega!

Siga seu caminho.

Confie mais em você!

Dê atenção às coisas boas dessa estrada tão rica chamada vida.

Carta 44

EU ME AMO
e está tudo bem!

EU ME AMO E ESTÁ TUDO BEM.

Algumas coisas que aprendemos quando criança são bem positivas e até animadoras.

Escutamos sempre as pessoas nos orientando: "olhe para os dois lados antes de atravessar"; alguns dizem: "não aceite nada de quem você não conhece".

Essas informações são enraizadas na mente. Até hoje guardamos esses e milhares de outros comentários.

Por dia temos mais de 85 mil pensamentos, então, imagine como há coisas guardadas e revisitadas o tempo todo!

Porém, algumas outras também são guardadas, como "você é feio", "você é burro", "você não vai chegar a lugar nenhum". Nesses casos, use a pergunta: "isso faz sentido para mim agora?".

Isso realmente é uma verdade que será útil?

Nada que o põe para baixo pode ser útil.

Carta 45

Eu me preparei para este momento e me sinto uma pessoa merecedora de descanso. *Eu me amo incondicionalmente* e relaxo profundamente enquanto durmo.

Esta carta é mesmo poderosa, traz uma reflexão importante sobre a qual muitas pessoas não param para pensar.

Isso é libertador.

Eu faço isso, sabia?

Antigamente eu ficava preocupado com o que os outros iriam pensar, com tal pessoa que não gostava de mim.

A maturidade traz uma coisa muito gostosa, que é você estar em você. Estar em você é saber o que está atrapalhando seu caminho, o que é uma pedra no meio do caminho, como no poema de Carlos Drummond de Andrade:

No meio do caminho tinha uma pedra
tinha uma pedra no meio do caminho
tinha uma pedra
no meio do caminho tinha uma pedra.

Essa pedra no meio do seu caminho está atrapalhando, o está perturbando o tempo inteiro. É isso que está acontecendo, essa porcaria de pedra no meio do caminho é você acreditar no que os outros estão falando para você, é ficar acreditando no que as pessoas estão dizendo – e aí você fica para baixo, perde a motivação, só alimenta pensamentos negativos.

Gosto muito de outro poema que se chama **A Pedra**, do Antonio Pereira Apon:

O distraído nela tropeçou,
o bruto a usou como projétil,
o empreendedor, usando-a para construir,
o campônio, cansado da lida,
dela fez assento.
Para os meninos foi brinquedo,
Drummond a poetizou,
Davi matou Golias...

Por fim;
o artista concebeu a mais bela escultura.
Em todos os casos,
a diferença não era a pedra.
Mas o homem.

Agora olhe como você está encarando a vida, perceba como está encarando as coisas.

Você vai criando mais estorvo, vai criando mais dificuldades – essa pedra que está no meio do seu caminho. Quando se apega ao velho, você estorva seu avanço ou cessa toda possibilidade de crescimento.

Pense um pouco, você precisa limpar o que é antigo para poder acompanhar seu crescimento.

Carta 46

O que me serviu no passado **não me serve mais agora!**

Durmo bem e ao acordar serei uma pessoa

renovada e cheia de otimismo!

DEIXE IR! O que serviu no passado não lhe serve mais agora!

Agora você precisará de coragem. Ser forte de verdade!

Determine três coisas para não seguir adiante com você. Para deixar no passado agora!

_____

_____

_____

Ao terminar, respire fundo e se despeça de cada ponto que escreveu.

Sinta uma limpeza sendo feita, um desprendimento, e lembre-se de que nem tudo na vida são perdas; algumas coisas são livramentos.

Carta 47

— Sou livre! —
Estou em paz!
Sou abençoado
Enquanto durmo
tenho o sono
**protegido pelos
cuidados divinos!**

Você é livre para seguir em paz.

> **Reflita sobre isso. Quando Deus criou o ser humano, há um trecho bonito que diz assim:** *"Deus soprou na narina do ser humano e deu a ele uma alma vivente".*

Olhe que bonito esse trecho!

Alma vem de *animus*, no latim. Na nossa língua é ânimo, é ter animação, é ter vida. Como entusiasmo, do grego, significa Deus em você. A etimologia de muitas palavras nos volta para dentro da nossa essência, da nossa alma, da nossa força – e todos temos uma força.

Talvez hoje você tenha acordado e possa ter pensado: "vou ter uma semana maçante pela frente, vou ter exame médico, vou ter que ir ao médico, que procurar emprego, que fazer alguma coisa para alguém, aí vou ter que simplesmente ficar em casa ou limpar a casa" – porque a gente tem uma tendência muito grande de reclamar. Por isso que eu estava falando de alma, para você prestar atenção nessa força que vem de dentro de nós mesmos.

E se uma coisa não der certo,
o que eu posso aprender?

Carta 48

Enquanto estiver dormindo, a **minha mente** será como uma peneira,

deixando escoar todo pensamento negativo,

sobrando apenas o bem e tudo aquilo que

me eleva para o melhor.

Você não tem necessidade de ser esponja e absorver tudo. Precisa ser peneira. Escolher o que fica e o que vai embora!

Confie no poder do Universo como um guia bom.

Neste Universo há tudo de que precisamos e tudo que desejamos ter. Esse poder do Universo ama quando você usa sua criatividade, sua inteligência e sua força para criar coisas novas.

É muito ruim quando você permite que coisas negativas interfiram na sua existência.

Somos uma forma elevada de vida neste planeta.

Por que então carregar mazelas que não fazem mais sentido?

Carta 49

Agradeço por tudo que vivi hoje! Encaro a vida como um aluno na escola, aprendendo a ser sempre melhor. Eu me adianto e agradeço por tudo de bom que viverei amanhã!

Entenda o seguinte: se você não aprender a agradecer, não há como aprender a prosperar. Não há como crescer na vida sem reconhecer as coisas boas que você já possui.

Seja honesto consigo agora: hoje você mais agradeceu ou mais reclamou?

Nosso dia precisa começar e terminar com gratidão. Todos os momentos são propícios à gratidão.

Se você hoje tem abundância, vai ter mais ainda. Essa é uma situação de ganha-ganha. Não falha.

Todos os dias, escreva algo pelo qual você seja grato, e isso se tornará um hábito.

Um hábito poderoso, capaz de mudar sua vida, sempre para melhor.

Carta 50

Há pó de ouro em mim

Enquanto descanso meu corpo, recebo **as bênçãos** que amanhã se revelarão em forma de **ideias** rentáveis.

Seu mundo é sua mente.

Você pode começar agora a libertar o poder criativo dentro de si e aproveitar todas as riquezas disponíveis no mundo. Quando você governa sua mente, governa seu mundo. Quando escolhe seus pensamentos, escolhe resultados.

> **Quando afirmo que há pó de ouro no ar para você, é como se eu gritasse:**
> *"Ei, veja as oportunidades que o mundo oferece. Todas elas estão à nossa disposição".*

Saiba e acredite: seus pensamentos são seu maior poder. Quando eles são negativos, sua vida fica negativa. Isso é um verdadeiro milagre da mente humana.

Não conte para ninguém esse segredo, guarde para você, mas o sucesso está mais perto do que você imagina; na verdade, ele é aquilo que você imagina.

Te espero nas redes sociais

 www.williamsanches.com

 Canal William Sanches
Canal Lei da Atração Sem Segredos

 @williamsanchesoficial

 /williamsanchesoficial

 /williamsanchesoficial

Conheça os meus projetos

Livro **Método de Ativação Quântica YellowFisic:** Afirmações Mágicas de Poder

Livro **Destrave seu dinheiro:** Método Express de Cocriação de Nova Realidade Financeira

Livro **Em mim basta!** O poder do pensamento próspero em tempos de crise

Livros para mudar o mundo. O seu mundo.

Para conhecer os nossos próximos lançamentos
e títulos disponíveis, acesse:

🌐 www.**citadel**.com.br

f /**citadeleditora**

📷 @**citadeleditora**

🐦 @**citadeleditora**

▶ Citadel - Grupo Editorial

Para mais informações ou dúvidas sobre a obra, entre
em contato conosco através do e-mail:

 contato@**citadel**.com.br